MELISSA BLAKELY

DANS TES BRAS POUR TOUJOURS

HOLD ME FOR EVER

PRESSES SÉLECT LTÉE
1555 ouest, rue DE LOUVAIN
MONTRÉAL,
H4N 1G6

Dépôt légal:
Bibliothèque Nationale du Canada
Bibliothèque Nationale du Québec
Quatrième trimestre 1979

Titre original: «HOLD ME FOREVER»

CHAPITRE I

Médusée, Sally jeta un regard autour d'elle sur les mille objets familiers qui peuplaient la vieille salle de rédaction aux vastes proportions. Ses yeux d'un vert profond fixaient distraitement tour à tour les sous-verres où figuraient les premières pages jaunies de journaux d'autrefois, des photos pâlies «d'hommes politiques ou de champions de baseball» dûment dédicacées ainsi que des plaques de bronze, témoins de triomphes journalistiques passés: tout ce fatras à valeur uniquement sentimentale qui s'était accumulé au cours des quatre vingts années de vie du «Glenbrook Patriot». Au-dessus de sa tête ronronnaient doucement les vieux ventilateurs qui attendaient depuis longtemps l'étape de modernisation qui mettrait en place l'air climatisé.

— Je pense que vous êtes d'accord et que dans trois semaines vous serez à New York?

La jeune fille, encore sous le coup de l'étonnante nouvelle, fut ramenée brusquement sur terre.

La voix continuait: «Ma chère fille, inutile de vous dire combien je suis fier de vous mais je tiens surtout à vous assurer de ma gratitude.» La vieille main déformée se posa affectueusement sur le jeune poignet effilé.

— De mon immense gratitude, répéta Cornelius Smith avec emphase quand sa jeune compagne voulut protester.

— Vous pouvez être fier Smithy, uniquement parce que sans vous je n'y serais pas arrivée, s'exclama-t-elle, le visage radieux. Quant à la gratitude...

Elle hocha la tête en le regardant avec des yeux qui exprimaient tout ce que les mots n'auraient su traduire. Elle appuya légèrement des mains qui tremblaient un peu sur ses tempes comme pour apaiser l'agitation qui bouillonnait en elle et regarda son interlocuteur droit dans les yeux.

— Smithy, je viens juste de réaliser ce que signifie la nouvelle que vous m'avez communiquée. Ce que je désire depuis des temps immémoriaux me tombe du ciel et cela me semble encore incroyable. Elle répéta en savourant chacun de ces mots: «j'ai un job au New York Globe» comme pour mieux se convaincre de leur absolue réalité.

Cornélius Smith, rédacteur au «Patriote» pendant plus de vingt ans, autrefois d'une taille de géant, conservait encore fière allure à soixante-huit ans passés. Il baissa les yeux sur le visage rayonnant levé vers lui et une vague de chaude tendresse l'envahit. Il n'était pas sujet à ces mouvements d'affection à l'endroit de ses autres reporters mais Sally était vraiment un être à part. Il s'en était rendu compte très vite, au cours de la première semaine qui avait suivi son entrée au journal, alors qu'elle était une petite étudiante fraîche émoulue de l'Université. Toutes les qualités, physiques et autres, qu'on aime à voir chez une jeune personne, elle les avait. En plus diablement douée pour écrire, écrivain de naissance, songeait-il — et après un demi-siècle dans le métier il savait pertinemment qu'on n'acquiert pas ce talent, on naît avec. —

Il déclara en lui souriant avec affection «Ma petite fille, vous m'avez rendu au centuple les petits services qu'il m'a été donné de vous rendre.» Voyant qu'elle s'apprêtait à protester, il fit un geste de dénégation et poursuivit: «J'ai toujours soutenu que l'épine dorsale du journalisme américain, c'est la feuille locale des petites villes. Parmi les grands écrivains de notre pays, les plus fameux ont fait leurs premières armes dans d'obscures feuilles de chou!» S'approchant d'une des larges baies qui éclairaient la pièce, il continua son petit discours, on eût dit qu'il s'adressait à la ville entière.

— Dieu sait qu'il m'a fallu batailler des pieds et des poings pour le faire vivre ce «Patriote». Il y avait des moments où quand on en avait fini avec un numéro, on se demandait si le prochain verrait jamais le jour.

Il regagna son énorme bureau d'acajou qui avait l'allure d'une forteresse et qu'il utilisait parfois comme telle, s'assit dans le fauteuil en cuir en face de la jeune fille. Quel adorable visage! se dit-il en la contemplant avec admiration, un délicat modelé, un teint transparent, des cheveux vaporeux couleur miel... Les yeux vert d'eau étaient fixés avec attention sur les siens; il y avait en elle une sorte d'assurance détachée, sereine, qu'il admirait d'autant plus que, dans les moments où elle ne se surveillait pas, elle pouvait sembler d'une juvénile vulnérabilité.

— Vous avez pleinement répondu à mon attente, Sally, dit-il en lui faisant une nouvelle petite caresse sur la main et, tirant un journal des profondeurs de son bureau, il déclara: «Pas un reporter de grande ville ne pourrait mieux faire. Et je dirais que vous l'emportez même sur eux, étant donné leurs possibilités et nos si faibles moyens.»

La voix du vieil homme vibrait d'un enthousiasme inhabituel. Les yeux de Sally s'éclairèrent quand, pour la centième fois depuis ce matin, elle relut la fameuse première page d'un numéro du New York Globe, un quotidien d'après-midi dont le tirage et la réputation en faisaient un des journaux les plus célèbres du pays. Y figurait en première page le reportage de Sally sur une récente catastrophe minière qui avait touché une petite ville de Pennsylvanie, non loin de Glenbrook. En tête de l'article, son nom Sally Spencer s'étalait en grosses lettres.

Elle eut beau se tancer de sa fierté qu'elle jugeait un peu ridicule — on dirait tout à fait une élève qui vient de remporter une place de première en composition — elle avait toujours le même plaisir à le regarder. Le Globe appartenait à la même société que le petit hebdomadaire le «Patriote», ce qui avait permis aux rédacteurs de «pirater» le reportage de Sally sur cette tragédie qui avait ému la nation tout entière. Ce n'était pas un mince succès pour un reporter de petite ville que de décrocher une première page dans un grand quotidien métropolitain. La conscience de cette réussite et la perspective de ce nouvel emploi lui firent garder le silence un moment. Puis elle bondit sur ses pieds et étreignit impulsivement Cornélius: «Smithy, si vous saviez combien j'ai de mal à exprimer...»

Le journaliste reprenant les manières bourrues derrière lesquelles il aimait à cacher sa gêne devant les démonstrations trop exubérantes, l'interrompit: «Ne me remerciez pas, je me tue à vous dire qu'il m'a suffi de donner un coup de téléphone, ce n'est pas la peine de vous accrocher à moi comme ça! Vous savez, j'ai encore ma petite influence, même là-bas dans la grandissime cité. Il y a une poignée de gens qui se souviennent du temps que j'y ai passé. J'ai appelé un de ces types au Globe pour lui parler de vous. On a mis ça sur pied en deux coups de cuiller à pot. Il savait déjà comme vous avez la plume agile. Evidemment, ajouta-t-il non sans ironie, ça a fait bien quand j'ai glissé que je connaissais Rafe Hawker personnellement.» Il hocha la tête, l'air amusé: «C'est tout de même étonnant l'effet que cela produit rien que de prononcer le nom de ce gars».

Rafe Hawker... l'esprit de Sally se mit à vagabonder autour de ce personnage, à la fois un des plus célèbres et un des moins connus du pays. Son patronyme lui-même évoquait la puissance et, dans le monde des journalistes on l'avait raccourci pour en faire Hawk*. Tel cet

* Hawk: faucon

oiseau, il était rapide, prédateur et sans merci. Il sortait vraiment du commun et son côté énigmatique attisait la curiosité des gens. Voici quinze ans, il avait débarqué d'on ne savait où et avait commencé sa carrière en achetant des journaux à travers tout le pays. On disait qu'il faisait preuve en affaires d'une habileté consommée, en même temps que d'une dureté impitoyable qui laissaient pantois concurrents et victimes.

Dès qu'il devenait propriétaire d'un journal, il faisait le nécessaire avec sa brutalité coutumière pour qu'il se transformât du tout au tout et devînt un succès, non un succès littéraire, disaient ses rivaux acerbes, mais en tout cas un succès financier. Pour le moment la Société Hawker était en possession de cinquante six journaux répartis dans tout le pays, allant de grands journaux métropolitains — dont le New York Globe était le plus important — aux douzaines de feuilles locales qu'il avait rachetées alors qu'elles étaient au bord de la faillite et qu'il avait remises sur pied en un temps-record. C'est à cette dernière catégorie qu'appartenait le Glenbrook Patriot.

Cet homme paraissait d'autant plus redoutable qu'une aura de mystère l'environnait. Bien qu'il n'eût aucun respect pour la vie privée de ses concitoyens — ce que prouvaient amplement les articles à sensation qui s'étalaient dans ses colonnes — il avait su admirablement protéger le secret de la sienne. Personne n'en avait le moindre écho. Sally n'ignorait pas que Smithy l'avait rencontré à maintes reprises et lui témoignait une grande considération. Maintenant elle avait envie de le faire parler à son sujet.

— Vous trouvez vraiment que Rafe Hawker mérite la réputation d'ogre impitoyable qu'on lui fait?

— Dans la corporation on aime bien le présenter comme ça, dit Smithy d'un air pensif. Je crois que c'est l'envie qui les ronge. La vérité est que cet Hawker a un instinct étrange et infaillible qui lui fait flairer ce qui peut faire vendre un journal. Pour un homme relativement nouveau dans le métier, il s'y connaît mieux que les autres qui ont pourtant derrière eux des années d'expérience dans l'art de ranimer un journal qui est en train de tourner de l'oeil, si j'ose dire! La seule politique que poursuit implacablement un journal appartenant à Hawker c'est celle qui conduit à faire le plus d'argent. Beaucoup de gens le lui reprochent mais à mon avis, dit le vieil homme avec un hochement de tête admiratif, cela donne de fameux résultats. Si Hawker n'était pas intervenu, le Patriote ne serait plus qu'un vague souvenir. Je suis allé le trouver, il y a cinq ans, quand on allait être obligé de fermer boutique pour lui demander de l'acheter. Le journal était tombé très bas; les propriétaires ne s'y intéressaient plus et refusaient de donner les fonds nécessaires à la modernisation indispensable. Hawker a su m'écouter, a senti que c'était une bonne affaire, et il a accepté mon offre. En trois mois nous avons tout rénové et il a commencé déjà à faire de bons bénéfices.

Je dois dire que, à chaque occasion où j'ai eu à lui parler, il s'est toujours montré courtois, évidemment à sa manière. C'est un homme qui a du bon sens et un véritable talent dans le domaine de sa profession.

Soudain il jeta vers Sally un regard inquiet: «Vous ne vous laissez pas impressionner, j'espère, par tous ces potins qui circulent sur lui? Les gens sont toujours prêts à raconter Dieu sait quoi sur tout et chacun. En fait ils inventent car très peu peuvent se flatter de le connaître réellement. Ne vous faites pas de souci: même si vous devez y passer vingt ans de votre vie, vous n'aurez pas tant d'occasions de le rencontrer; il paraît qu'il a la sagesse de se tenir à distance de son état-major.» Avec fierté il ajouta: «Si le Globe vous prend c'est à cause du magnifique succès de votre reportage, cela a impressionné tout le monde là-bas... vous jouez sur du velours!»

Sally sourit, sachant fort bien que Smithy disait cela pour l'encourager. Les journaux Hawker, disait-on ne se laissaient pas tellement impressionner par les bons articles. Cela leur paraissait naturel de la part de leurs reporters et ils les payaient bien à cause de cela.

Le vieux journaliste s'appuya confortablement contre son dossier, s'alluma un cigare et poursuivit gravement: «Il y avait longtemps que j'avais envie de vous donner ce coup de pouce. Je savais qu'un jour ou l'autre il faudrait que vous tentiez votre chance dans une feuille plus importante que la nôtre. J'ai beau accorder une grande importance aux petits journaux locaux — Dieu sait comme je me suis bagarré pour qu'on leur donne leur vraie place — je n'ai pas l'illusion de croire que ce soit un terrain d'essai suffisant pour quelqu'un de votre trempe! Moi-même j'ai eu ma période de travail dans un grand journal et j'estime que tout journaliste qui mérite ce nom devrait passer par-là. C'est la raison pour laquelle, malgré ma tristesse de vous perdre, j'ai compris votre désir et vous ai soutenue. Et ce reportage, dit-il en désignant le numéro du Globe qui était resté déployé sur le bureau, était justement ce dont nous avions besoin pour nous introduire dans leur bastion!»

Il parcourut rapidement le texte: «Vous voyez, ils ont reproduit presque mot pour mot votre article, c'est dire que votre ton répond instinctivement à celui du journal. C'est un élément diablement important; vous pourriez être le plus grand écrivain de notre temps, si vous n'arrivez pas à conformer votre style à celui de la feuille, vous êtes cuit. J'en ai vu bien des exemples.»

Pour la première fois depuis qu'il lui avait annoncé la nouvelle, Sally se sentit gagnée par une terrible appréhension. Mon Dieu! Elle ne serait peut-être pas du tout à la hauteur de sa tâche... Qu'arriverait-il si elle se heurtait à un échec à New York? Une soudaine angoisse lui serra la gorge et un frisson glacé lui courut tout le long de la colonne vertébrale. Il n'était guère difficile de réussir quand on était bien en sécurité dans sa ville natale, avec le soutien et les encouragements de sa famille, de ses collègues. Mais dans la plus compétitive des cités et dans le plus compétitif des métiers, se tailler une place, c'était une tout autre affaire! A la pensée de cette énorme ville où elle se sentirait perdue dans une foule anonyme, elle céda un instant à la panique mais réagit promptement, bien résolue à ne plus succomber à ce genre d'émotions négatives. Après tout, elle avait désiré ce poste, en avait rêvé et bâti alentour mille châteaux en Espagne; elle n'allait pas se mettre à trembler au moment où la chance lui faisait un clin d'oeil.

Elle se remémora, non sans soulagement, que depuis le moment où on l'avait acceptée au Patriote, elle avait parcouru tous les échelons sans encombres et avait fait l'expérience des différentes fonctions: relever correctement les noms à une cérémonie de mariage, prendre des notes laborieuses pendant les réunions municipales; s'occuper de la publication, du remaniement d'un article, de la correction des épreuves, rien de tout cela ne lui était étranger. Chaque fois qu'elle semblait rechigner à accomplir des besognes sans intérêt, Smith l'aiguillonnait d'un: «Allons! Ne crachez pas là-dessus, c'est toujours une bonne expérience de faite, cela vous servira plus tard.» Comme il avait raison! songea Sally avec gratitude. Elle ne partait pas sans bagage pour la redoutable métropole.

Elle pointa imperceptiblement son petit menton en avant et, pleine de vaillance, se leva.

— Oui, dit Smithy, dépêchez-vous d'aller annoncer la nouvelle à votre famille et il ajouta en la reconduisant jusqu'à la porte: «Je me demande comment votre tante Emilie va le prendre. Maintenant que tous les autres oiseaux ont quitté le nid, elle va avoir du mal à accepter le départ du dernier enfant.

— Un enfant de vingt-quatre ans! protesta

14

Sally en riant. Je sais que je vais lui manquer mais elle sentait que c'était mon plus cher désir et elle sera heureuse pour moi.

En pensant à la tante Emilie, la jeune fille sentait un léger remords mais c'est la vie!

— Au revoir, ma chère, nous règlerons les derniers détails après que vous aurez parlé à votre famille.

Le téléphone sonna au même moment dans le bureau et Sally, après un baiser spontané, prit congé de Smithy. Pourtant le vieil homme ne se hâta pas d'aller répondre; il la regarda s'éloigner de son pas bondissant. Elle avait un port de tête hardi, tout en elle respirait l'assurance et l'aisance. C'est normal, songea-t-il, elle est jeune, résolue, fort douée pour écrire et jolie. Oui, vraiment très jolie, se dit-il en se décidant enfin à répondre au téléphone qui carillonnait.

Sally traversa la pièce adjacente qui lui avait servi de bureau — et qu'elle partageait avec ses collègues — pendant les deux années et demie qui venaient de s'écouler. A présent il était plus de six heures, les autres étaient déjà partis. Combattant son envie de s'attarder un peu sur les lieux, Sally dévala d'un pied léger les quelques marches; en deux ou trois enjambées elle franchit le vestibule et s'arrêta sur le seuil, éblouie par les derniers rayons de soleil, un soleil d'un orange éclatant. Hésitante, elle fixa un moment Main Street où se dressait la vieille maison qui abritait le Patriote. Elle aurait dû rentrer immédiatement chez elle mais elle opta pour la direction opposée, n'ayant pour l'instant aucune envie d'aller annoncer la nouvelle aux siens. Avant de confronter la famille, elle préférait mettre un peu d'ordre dans les pensées qui tourbillonnaient dans son esprit.

Tante Emilie, fort intuitive, sentirait tout de suite si quelque inquiétude secrète la tourmentait et, dans ce cas, la chère femme réussirait à se mettre dans tous ses états. Sally désirait s'assurer d'abord qu'elle se tenait bien en main et contrôlait suffisamment les sentiments contradictoires de soulagement et de nervosité qui bouillonnaient en elle.

Elle suivit donc la rue de Main Street aussi nette et propre qu'une carte postale avec ses maisons immaculées et ses jardins débordants de fleurs, comme on en voit dans toute cette partie de la Pennsylvanie. Elle était fière de sa ville natale et avait un peu de honte à se rappeler qu'il y avait eu une époque où elle l'avait regardée presque avec mépris, tant elle désirait s'en aller, mener à New York une vie trépidante qui la changerait de cette existence dans une jolie petite ville trop tranquille. Maintenant qu'elle était sur le point de la quitter, elle sentait comme elle lui était liée, ne serait-ce que par tous les plaisants souvenirs dont cette cité avait été le cadre. Arrivée au bout de la rue, elle grimpa avec agilité sur le mur et, après s'être déchaussée, sauta à pieds joints dans un épais gazon moëlleux, non loin d'un bosquet. C'est là que la rivière qui avait donné son nom à la ville s'élargissait en un petit lac aux berges ombragées par des saules.

Elle se dirigea vers le plus vieux et le plus tordu d'entre eux, pénétra sous les branches pendantes qui ondulaient doucement et se laissa choir dans l'herbe profonde. C'était son coin secret, son mur de lamentations personnel en même temps que sa source enchantée et sa citadelle. Déjà dans son enfance elle avait horreur d'exhiber ses émotions et elle venait toujours confier joies, peines et rêves au saule, son ami.

Amusée, elle se rappela qu'elle y avait pleuré toutes les larmes de son cœur, à neuf ans, quand Billy Chandler, qui lui avait fait la cour pendant près d'une année, l'avait laissée tomber pour les beaux yeux d'une petite boulotte aux boucles blondes. Tous les événements de son enfance, peines de cœur ou succès, avaient été digérés ou savourés dans ce refuge loin des regards indiscrets. Laissant là ces souvenirs inoffensifs et puérils, son imagination bondit dans le futur et affronta la vision newyorkaise. Quels horizons différents! Elle avait vraiment une chance extraordinaire et en était consciente. Etre appelée à faire partie de l'état-major d'un grand journal métropolitain, pensez donc! C'était le rêve de la plupart des journalistes de ce pays. Alors pourquoi cette sourde inquiétude qui la rongeait à l'arrière-plan quand elle aurait dû n'être que joyeuse anticipation et excitation?

Distraitement elle tortillait de ses doigts allongés un brin d'herbe. Elle se rappela que le Globe s'était servi de son propre reportage sur la catastrophe minière au lieu d'envoyer sur place un de ses journalistes attitrés. Cette idée la rassura, cela montrait qu'on avait jugé son papier digne du journal. Elle savait que Rafe Hawker prenait sous son bonnet la plupart des décisions; avait-il donné son aval personnel pour son article? Elle fut intriguée par l'espèce de malaise que provoqua cette pensée. Vraiment, je suis par trop puérile, pensa-t-elle avec irritation. Je ne suis pourtant plus une timide adolescente s'élançant dans une redoutable aventure! La plupart des filles de mon âge, à Glenbrook, ont déjà des responsabilités familiales et moi, je me noie dans une goutte d'eau au lieu d'aller bien vite annoncer la nouvelle à oncle John et à tante Emilie.

Pleine de remords, elle se dépêcha de se lever, secoua les feuilles mortes accrochées à ses vêtements et à ses cheveux, et reprit d'un pas décidé le chemin de la maison.

Les deux semaines qui suivirent furent éprouvantes. Sa famille, qui avait accueilli la nouvelle avec grande fierté, était fort excitée. On avait immédiatement projeté une série de réceptions d'adieu et de dîners en son honneur. Dans une petite ville comme Glenbrook tout s'ébruite en un clin d'oeil. La remarquable promotion de Sally, connue de tous, devint le principal sujet de conversation. Tante Emilie était la seule à témoigner d'un enthousiasme modéré à la perspective du départ de la jeune fille. Sa première réaction avait été: «Si tu es sûre que c'est cela que tu voulais, ma chérie…» avait-elle murmuré d'une voix hésitante. Elle était beaucoup trop discrète et compréhensive pour soulever des objections mais sa nièce sentait bien qu'elle se faisait beaucoup plus de souci que le reste de la famille.

Le père de Sally qui était professeur était mort deux mois avant sa naissance et elle avait perdu sa mère à l'âge de trois ans. Tante Emilie, la soeur de sa mère, malgré ses cinq enfants n'avait pas hésité à prendre la petite fille chez elle et lui avait prodigué tout l'amour et la sollicitude d'une véritable maman. Jamais, au grand jamais, elle n'avait eu l'impression d'être l'enfant d'autres parents. D'ailleurs Emilie qui avait deux filles à elle avait la réputation d'avoir un grand faible pour Sally.

John Holloway, son oncle, était un homme bienveillant et paisible, pharmacien de son métier, d'une honnêteté scrupuleuse et qui ne se résolvait jamais à réclamer son dû à ses clients de sorte qu'il n'y avait jamais beaucoup d'argent chez lui. Mais les Holloway se contentaient de peu, et grâce à la gaieté, l'amour et la bonne humeur constante qui régnaient chez eux, c'était une des familles les plus heureuses de la ville.

Les cousins et cousines de Sally, plus âgés qu'elle, avaient déjà tous quitté la maison. Ils avaient beau se retrouver à dîner au moins une fois par semaine chez leurs parents, Sally avait l'impression d'abandonner bel et bien son oncle et sa tante. Pendant les derniers jours précédant son départ, au milieu des bagages et des adieux, elle perçut maints regards mélancoliques jetés dans sa direction.

— Tu sais, je ne serai pas si loin que ça. disait Sally à sa tante pour essayer de la réconforter. New York n'est qu'à quelques heures d'ici.

— C'est encore trop loin si par hasard tu tombais malade ou si tu avais besoin de nous.

Elle parut un peu rassérénée quand elle eut

réussi à arracher à sa nièce la promesse qu'elle téléphonerait sans attendre une minute à la moindre anicroche et écrirait des comptes-rendus détaillés de sa vie dans la métropole.

— Et puis, conclut tante Emilie, nous irons te voir certains week-ends et bien sûr! tu viendras ici passer toutes tes vacances.

Elle fit de louables efforts pour paraître pleine d'entrain, les jours suivants mais Sally savait qu'elle aurait été bien plus heureuse de voir sa nièce suivre l'exemple de la plupart de ses amies en choisissant un amoureux sur place et en se mariant bien tranquillement à Glenbrook, au lieu de tenter de bâtir une carrière difficile, à la force des poignets, dans une gigantesque ville. De nombreuses camarades de Sally avaient fait, elles aussi, le rêve de mener une existence passionnante à New York mais les unes après les autres elles avaient fini par s'établir ici et avaient une vie peut-être un peu monotone mais agréable.

A présent elles la regardaient avec un peu d'envie en l'aidant à choisir les vêtements et les affaires qu'elle allait emporter là-bas. Sally avait pris congé de ses collègues du Patriote une semaine avant son départ. Elle avait cessé le travail de bonne heure afin de veiller aux plus petits détails de sa réception d'adieux. Mais l'état major du journal avait tenu à la recevoir le dernier jour. Smithy qui ne voulait pour rien au monde qu'il fût dit qu'il avait un faible pour elle, s'éclipsait à tout propos dans son bureau où il prétendait avoir des tâches particulièrement importantes à finir au plus vite. Il en sortait, chaque fois, l'oeil un peu plus humide. Pour Sally c'était à coup sûr la dernière fois qu'elle se trouvait au journal avant le grand départ mais voilà que deux soirs avant de quitter Glenbrook, il lui fallut absolument revoir les lieux encore une fois.

Murmurant quelques vagues paroles d'excuses à sa tante, elle mit la clé de son bureau dans sa poche et se glissa dehors par une belle nuit de juin. Elle avait compté sur la marche pour se décontracter mais, quand elle pénétra dans le vieux bâtiment plongé dans l'obscurité, elle eut l'impression que la masse d'appréhensions et de regrets qu'elle avait enfouie au plus profond d'elle-même, ces derniers jours, remontait au grand jour et allait l'écraser. Elle tourna le commutateur et grimpa jusqu'au premier étage où se trouvaient les salles de rédaction. Le souvenir de tous les moments heureux qu'elle y avait passés pendant ces deux années lui arracha un gros soupir. La gorge serrée comme dans un étau, elle dirigea ses pas vers le bureau de Smithy. S'arrêtant un instant sur le seuil, elle alluma l'électricité, ouvrit de grands yeux — des yeux bien vite embués d'émotion — en voyant en face d'elle, suspendue au-dessus du bureau du vieil homme, la première page du Globe où figurait son fameux article fraîchement encadrée. Le papier neuf et blanc tranchait sur les autres souscadres aux teintes jaunes toutes passées. Ces pages encadrées qui décorent tous les bureaux des journaux un peu partout sont comme des bornes sur la grand-route de l'Histoire. En l'occurrence, dans le bureau de Smithy, elles marquaient les étapes importantes des cinquante dernières années. On y voyait les gros titres annonçant déclaration de guerre ou mort d'un Président. Dire qu'au milieu de tous ces prestigieux souvenirs il avait placé ce modeste reportage signé Sally Spencer!

Sans plus chercher à contrôler les larmes qui se pressaient sous ses paupières, Sally s'avança en vacillant vers le bureau et s'affala dans le siège en cuir, la tête dans les mains. Elle sanglota laissant libre cours à tous les pleurs qu'elle avait réussi à contenir tandis qu'elle faisait ses adieux à tout ce qu'elle aimait, à tout ce qui lui était familier. Elle sentit avec soulagement décroître sa tension intérieure et pleura tout son saoûl pendant un bon moment jusqu'à ce qu'une sensation bizarre la fit s'arrêter brusquement. Un frisson inexplicable la parcourut et, tremblante, elle leva les yeux.

Là devant elle, adossé à la porte, les mains dans les poches, un homme la regardait, vaguement intéressé. En une seconde, elle avait eu le temps d'observer qu'il était exceptionnellement grand, d'une minceur frisant la maigreur mais d'une vigueur virile certaine. Ses cheveux étaient noirs, son visage solidement charpenté. Ses yeux d'un gris de vieilles pierres granitiques fixaient ceux de Sally rougis par les larmes. Comme fascinée par ce regard dur, elle ne pouvait baisser le sien. Elle sentait sur sa peau la brûlure de ce regard impersonnel et impitoyable. Eperdue, elle se demandait depuis combien de temps il était resté à l'observer; rien qu'à cette idée, elle était toute rétractée intérieurement. Ses tempes battaient, elle sentait le rouge de l'humiliation lui monter aux joues; elle fit un violent effort pour cesser de le regarder et baissa ses paupières ombragées de cils épais où perlaient encore les larmes.

Les yeux braqués sur ses poings crispés qu'elle avait posés sur la table, elle ne put s'empêcher de rompre ce silence qui lui pesait.

— Que puis-je faire pour vous? balbutia-t-elle d'une voix faible réalisant très rapidement que c'était la chose la plus sotte du monde à lui demander dans les circonstances présentes. Elle se serait volontiers enfuie à toutes jambes pour échapper à ce regard persistant mais elle était incapable de lever les yeux, encore plus de faire le moindre mouvement.

Soudain une main vigoureuse aux doigts longs lui jeta un mouchoir fraîchement repassé. Il s'était approché du bureau sans faire le moindre bruit aussi ne s'attendait-elle pas à le voir tout près d'elle, la dominant de sa haute taille.

— Je crois qu'il vaut mieux que vous vous occupiez d'abord de vous, dit-il d'une voix calme, autoritaire et cruellement ironique. Elle prit le mouchoir en marmonnant de vagues remerciements et s'en essuya les yeux. Qu'est-ce qui va se passer maintenant? se demanda-t-elle anxieusement, la tête toujours baissée. Un inconnu l'avait surprise dans une situation humiliante mais il n'y avait pas de quoi se mettre dans un tel état... elle essayait de se raisonner, ce qui ne l'empêchait pas de se sentir paralysée. Elle aurait dû faire quelque chose tout de suite pour détendre l'atmosphère, donner une explication.

de sa présence, de son attitude... Mais elle ne voyait aucune explication susceptible de satisfaire cet homme aux yeux glacés et elle se dit, sous le coup de la panique: cela ne ferait qu'empirer la situation.

Dieu merci! L'étranger s'éloigna pour aller prendre place dans un fauteuil qui faisait face au bureau. Il allongea confortablement ses grandes jambes et ricana: «Vous venez souvent ici pour... pleurer»? Son ton caustique était l'aiguillon dont elle avait besoin pour retrouver ses esprits.

— Je ne pleure jamais! lança-t-elle indignée, je veux dire que cela ne m'était pas arrivé depuis des années.

Elle remarqua avec colère sa moue légèrement amusée et sceptique. Son regard fut à nouveau invinciblement attiré par le visage de l'inconnu et elle osa le fixer avec une nuance de défi tandis qu'il continuait à la dévisager du même air détaché.

— Je travaille ici ou plutôt j'ai travaillé ici jusqu'à ces derniers jours aussi suis-je en mesure de vous renseigner ou de vous aider si vous me dites la raison de votre présence ici.

Elle venait en effet de s'apercevoir que l'individu assis en face d'elle n'avait rien à faire ici.

Mais pour la décontenancer et lui faire abandonner cette gravité de professionnelle, il lui lança: «On vous a fichue à la porte?»

Un «non» revêche, très semblable à un aboiement rageur fusa et elle devint cramoisie d'indignation. Elle expliqua d'un ton sec: «J'ai trouvé du travail dans un journal de New York et je pars après-demain». Elle espérait que la manière peu amène dont elle avait répondu à sa question mettrait fin à l'interrogatoire; elle dut déchanter car, une ombre de contrariété passa sur son visage et il s'enquit: «Quel journal et quel job?»

Son sans-gêne ne connaissait donc pas de bornes! C'était lui qui lui devait une explication sur les raisons de son apparition insolite dans ce bureau. Aussi lui donna-t-elle les précisions qu'il réclamait de la façon la plus lapidaire et sur un ton qui signifiait en clair «cela ne vous regarde absolument pas.» Ceci dit, elle réitéra sa propre question avec le maximum de fermeté, ajoutant: «Comme vous le savez, l'heure de fermeture est largement dépassée et j'aimerais fermer.»

Il resta quelques minutes sans parler pour bien montrer qu'elle ne lui en imposait pas et dit: «J'attends Mr Smith». De son ton persifleur il ajouta: «Ne changez rien à vos projets, il sait que je suis ici.»

On ne pourrait dire qu'il manquait d'éducation, pensa-t-elle mais il était terriblement arrogant. Il n'était décidément pas prêt à se présenter ni à dire pourquoi il était venu. Tant pis! se dit Sally qui se dirigea d'un pas rapide vers la porte. Cela ne l'intéressait pas de le savoir et elle ne s'abaisserait pas à réitérer sa question. Ce bref échange de paroles avait déjà réussi à provoquer entre eux un état de tension, elle n'avait aucune envie de prolonger l'entretien. L'inconnu s'était levé également et s'était approché du mur, il lui tournait le dos et regardait les sous-verres. Tout à coup il se retourna brusquement:

«C'est le vôtre?» dit-il en désignant la première page du Globe. Une fois de plus elle eut l'impression d'être transpercée par ce regard aigu mais elle mit cette fois plus de hardiesse dans celui qu'elle lui lança en retour. En fait elle jugeait défavorablement et regrettait la façon dont elle lui avait parlé tout à l'heure et ne voulait pour rien au monde recommencer.

Il devait approcher de ses trente ans. Son visage tanné n'était pas d'une beauté classique mais d'une irrésistible séduction. Elle même sentait cette puissance de fascination. Elle nota en passant la coupe impeccable de son complet en lainage gris fort classique, la chemise immaculée gris pâle, la cravate de soie rouge. Il portait des vêtements de grand prix avec une élégante désinvolture.

En réponse à sa question elle fit une brève inclinaison de tête, sentant de nouveau le sang effluer à ses joues et pestant contre cette manie juvénile de piquer des fards, manie dont elle n'était pas encore arrivée à se débarrasser. Il cligna des yeux et prit un air méditatif sans cesser pour autant de la fixer. D'un geste machinal elle tira sur la simple robe de cotonnade qu'elle portait, elle avait honte de ses jambes nues bien brunies. Mais, bien que déconcertée par sa façon de la regarder, elle ne détourna pas son regard, se redressa et pointa le menton en avant. Cette mimique inconsciente de défense parut l'amuser et il se dérida un peu.

Ce fut à ce moment que la porte s'ouvrit en trombe et que parut Smithy. La surprise le cloua un instant sur le seuil à la vue des deux jeunes gens en tête à tête.

— Ah vous voilà! s'exclama-t-il un peu essoufflé, je vous cherchais et, se tournant vers Sally, il lui dit d'un ton de reproche: «votre tante Emilie ne savait pas du tout ce que vous étiez devenue. Je voulais justement vous amener ici pour vous présenter mais je vois que c'est déjà fait. Alors Rafe, qu'en dites-vous?»

Longtemps après Sally se rappelait à merveille le choc physique qu'elle avait reçu en pleine poitrine en réalisant sa situation. S'adossant au chambranle de la porte pour garder l'équilibre, elle n'avait pu s'empêcher de jeter un regard éploré à Hawker. Dire que parmi toutes les créatures peuplant l'univers, il avait fallu que ce fût justement lui qui fût le témoin de cette pantomime ridicule... elle s'était vraiment donnée en spectacle! Le quart d'heure qui venait de s'écouler repassa devant ses yeux dans ses moindres détails. Elle n'avait plus besoin de se voir expliquer cet aplomb glacial et ce comportement hautement méprisant. Il devait à présent être plein de mépris pour la conduite de cette petite pimbêche... d'autant plus depuis qu'il savait qu'elle allait travailler pour lui. Pas étonnant qu'il eût froncé le sourcil quand elle avait annoncé fièrement qu'elle avait trouvé du travail dans un journal de New York! Rafe Hawker, qui avait la réputation de ne pas pouvoir souffrir la faiblesse ni les imbéciles, avait dû supporter la vue d'une sotte pleurnicheuse se payant sa petite crise d'hystérie à la veille de collaborer au plus célèbre de ses journaux.

Pour une fois, se dit-elle, le mythe ne dépasse pas la réalité, il correspondait parfaitement au portrait qu'on lui en avait fait. Le regard qu'il lui jeta en réponse était totalement dénué d'expression. Pendant un instant elle eut la certitude qu'il allait dire à Smithy qui l'avait suffisamment observée pour être certain qu'elle n'était absolument pas faite pour le job qu'on lui réservait. Il n'en fit rien mais demanda au vieil homme d'une voix brève: «Quand est-ce que l'entrée de Miss Spencer au Globe a été décidée?»

— Comme je vous l'ai dit au cours de notre conversation téléphonique de ce soir, ils ont été très impressionnés par son reportage sur l'histoire de la mine.

Smithy raconta l'affaire en embellissant les choses et en ajoutant force louanges de ses talents. Sally, affreusement gênée, fermait les yeux et priait ardemment afin que la terre s'ouvrît sous ses pieds et qu'elle pût s'y engloutir à l'abri des humains. Quand le vieil homme se fut tu, Hawker déclara d'une voix grave: «J'ai une grande considération pour le jugement de Mr Smith». Sans doute fallait-il en conclure qu'il donnait ainsi son accord. En dépit de son ton poli et réservé, Sally eut la certitude qu'il éprouvait une sérieuse contrariété de cet arrangement.

Se tournant vers le journaliste, Hawker poursuivit: «Je suis désolé d'être passé ainsi chez vous aussi inopinément. Comme il fallait que mon avion refît son plein d'essence dans la région, j'ai décidé d'utiliser votre terrain et en ai profité pour jeter un coup d'oeil sur votre installation.» Regardant sa montre, il ajouta: «j'ai moins de temps que je ne croyais, il faudra que je revienne une autre fois pour une visite plus approfondie, je dois être dans une demi-heure pour l'autorisation de décollage et j'ai rendez-vous à Boston plus tard dans la soirée.»

Smithy visiblement désappointé que Rafe Hawker, pour une fois qu'il était venu jusqu'à Glenbrook, ne pût rester pour voir à fond les installations du journal, exprima le désir d'une rencontre prochaine et offrit de le reconduire jusqu'au petit aéroport local situé juste à la sortie de la ville.

— Je vous remercie mais j'ai loué une auto à la descente d'avion. Je vous dépose chez vous en passant, dit-il à Sally. Ce n'était pas une question, on ne lui demandait pas son avis. Elle pensa qu'elle allait recevoir une semonce, une fois que Smithy serait loin. Bah! Tout valait mieux que cette réprobation silencieuse et glacée.

Les deux hommes parlèrent affaires pendant quelques minutes encore puis se quittèrent sur une cordiale poignée de mains. Sally fit un geste d'adieu à son patron en lui jetant un regard éploré. Il lui répondit par le même geste accompagné d'un clin d'oeil significatif qu'elle jugea déplacé. Puis, résignée, elle emboîta le pas à Hawker.

Une fois installée dans la voiture de location, elle eut des battements de coeur à se sentir si près de lui et résista à la forte tentation de se pelotonner à l'autre extrémité du siège. Elle réussit à rester bien droite au milieu de son siège, les yeux fixés également droit devant elle. A part les indispensables informations concernant la direction à prendre, il n'y eut pas d'échange entre eux. Apparemment il n'était pas homme à bavarder de choses et d'autres simplement pour mettre quelqu'un à son aise. Elle ressentait le besoin de saisir à tout prix cette occasion de s'expliquer, de se justifier à ses yeux. Elle lança un coup d'oeil furtif de son côté, ce qui lui permit d'apercevoir son profil aquilin aux lignes sévères vaguement éclairé par le reflet du tableau de bord. Décidément toute tentative d'explication serait vaine avec un homme pareil! D'ailleurs qu'aurait-elle pu lui dire? qu'elle était une fille de vingt-quatre ans qui fondait en larmes à l'idée de quitter son foyer pour s'aventurer dans la grande cité? Il n'en aurait que plus de mépris. Ils continuèrent à rouler dans le plus parfait silence. Elle sentait les minutes précieuses s'envoler sans qu'elle pût trouver le courage d'articuler un mot. Finalement ils s'arrêtèrent devant la maison de Sally.

Hawker coupa le moteur et regarda par la vitre un long moment, examinant attentivement la maison des Holloway. C'était une belle demeure à trois étages, pourvue d'une véranda spacieuse qui faisait le tour de la maison sur trois côtés. Dans la vaste cour d'entrée deux érables géants l'encadraient de leurs frondaisons qu'agitait doucement la brise du soir. Une douce lumière jaune venant d'une fenêtre du rez de chaussée venait caresser les jolies plates-bandes fleuries de tante Emilie. Tout respirait la paix, la sérénité. Le silence n'était troublé que par la sérénade des criquets. L'air embaumait l'herbe fraîchement tondue.

— C'est la maison de tante Emilie? dit-il en se tournant vers Sally.

Celle-ci se souvint que Smithy avait mentionné devant lui le nom de sa tante; elle fut étonnée qu'il se le rappelât et qu'il y eût dans sa voix cette nuance quasi imperceptible d'amertume.

— D'après ce qu'il m'a été donné d'observer tout à l'heure, vous avez beaucoup de mal à vous en éloigner. Je me demande s'il est sage que vous vous y résigniez.

Instantanément sur le qui-vive, elle saisit l'occasion de se racheter.

— Ecoutez, Mr Hawker, dit-elle en cherchant à prendre de l'assurance, je sais que j'ai perdu la face devant vous ce soir et je déplore plus que vous ne sauriez l'imaginer de m'être ainsi laissée aller. Personne ne m'a vue pleurer depuis des années, je puis vous le certifier. Mais ce n'est pas une raison parce que j'ai eu le malheur d'être triste de quitter ma maison et les gens que j'ai connus toute ma vie pour croire que je ne suis pas digne de travailler au Globe. Ce n'est pas dans une compétition scolaire que j'ai gagné ma place!

Elle le défiait du regard, ses grands yeux verts flamboyant dans la demi-obscurité, ses lèvres au doux dessin fermement jointes. Elle était soulagée d'avoir pu enfin exprimer ce qu'elle contenait depuis un bon moment. De son côté il semblait amusé de ce petit discours légèrement agressif. Il la regardait intensément; ses yeux s'attardaient sur chacun de ses traits, sur sa bouche, sur son cou gracieux, sur ses grands yeux. Cette fois l'expression n'était pas du tout impersonnelle ni détachée. Ses mains qu'elle tenait croisées sur les genoux se mirent à trembler, elle sentit sur sa nuque une brûlure cuisante. Elle avait peine à trouver sa respiration, elle poussa un soupir. La tension était difficile à supporter mais elle ne parvenait pas à la briser. Elle le fixait fascinée, oubliant qui il était, consciente simplement que c'était un homme qui la regardait comme jamais personne avant lui ne l'avait fait et qui la mettait dans un état bizarre et un peu effrayant.

Ce fut lui qui finit par rompre cette sorte d'envoûtement en disant sur un ton de froide ironie: «Mais il me semble, Miss Spencer, que vous vous défendez contre une attaque que je n'ai pas encore lancée!»

Du coup Sally sentit le choc de la défaite. Sans lui jeter le moindre regard, elle ouvrit la portière et descendit à l'aveuglette. Le temps qu'elle arrive à la grille, il était déjà là qui la tenait ouverte. Une fois de plus son visage était glacé et dépourvu d'expression.

— Merci beaucoup de m'avoir déposée, au revoir, dit-elle d'une voix à peine audible, toujours sans le regarder.

— A bientôt à New York, lança-t-il en remontant dans l'auto.

Debout sous la véranda, elle regarda s'éloigner les feux arrière de l'auto en se murmurant à elle-même: «J'espère bien que non, Mr Hawker, vraiment je ne souhaite absolument pas vous revoir!»

CHAPITRE II

Sally en était déjà à la fin de sa quatrième semaine au Globe mais elle ne s'habituait toujours pas aux gigantesques dimensions du journal ni au rythme hallucinant du travail. A bien des égards ce mois lui avait paru s'éterniser, pourtant il avait passé vite. Quand elle regardait cette immense salle, avec sa multitude de bureaux, qui occupait presque la totalité d'un étage, elle sentait une certaine fierté et beaucoup de satisfaction à s'en savoir partie prenante. Avec un froncement de sourcil, elle se rappela tout à coup sa première journée.

Quand elle avait fait son entrée dans la salle un lundi matin du mois dernier, elle avait été péniblement consciente que les regards qui la suivaient contenaient plus que la simple curiosité qu'éveille une nouvelle-venue. Même Bill McIntire, le rédacteur local, lui avait lancé un long regard beaucoup trop appuyé, quand elle lui avait été présentée, et le reste de l'état-major avait continué à l'observer pendant quelques jours avec une curiosité à peine déguisée. Bien qu'intriguée par cette attitude, elle avait fait de son mieux pour feindre de ne pas s'en apercevoir et se consacrer entièrement aux tâches qu'on lui assignait. Et quelles tâches! Elle soupira en les évoquant. Ces quatre dernières semaines, ce qu'on lui avait donné à faire, même le plus novice et le plus inexpérimenté des reporters s'en serait tiré.

Après tout, pensa-t-elle, ce n'était que justice. Elle était vraiment une *débutante* dans un des plus puissants journaux de la nation, ce n'était que trop normal qu'on la mît à l'épreuve. N'empêche qu'elle en ressentait une certaine frustration. Elle était venue ici avec une ferme détermination: réussir coûte que coûte. Pour le moment il fallait convenir que les débuts n'avaient rien eu d'éclatant. Si on ne lui confiait rien de plus intéressant d'ici peu il lui faudrait prendre les choses en main...

Ce fut Mike Costello, le rédacteur chargé de la rubrique cinéma et stars qui l'éclaira un peu sur la cause de cette curiosité exagérée qu'on lui portait.

— Je n'ai pas cessé de vous regarder depuis votre arrivée. Mais vous êtes adorable, vous ne vous rendez pas compte, une vraie pêche fraîchement cueillie, toute duveteuse et couverte de rosée! lui avait-il murmuré en la prenant par les épaules.

Gênée par cette familiarité qu'elle jugeait déplacée, Sally avait levé le nez de son travail et lui avait jeté un regard mécontent mais elle n'avait pu résister devant sa physionomie ouverte et avenante et elle avait fini par lui sourire. Il s'était alors présenté, sans cacher son admiration — une admiration qui se lisait dans son regard — pour la silhouette mince et élancée, la robe de linon légèrement empesée dont la teinte avivait le vert de ses yeux et rehaussait son teint hâlé, ainsi que pour la chevelure couleur miel qui semblait trop lourde pour son cou fragile.

Mike était un fort beau garçon de trente quatre, trente cinq ans. La nature l'avait gâté lui aussi: c'était un grand brun, au teint basané, avec des yeux bleus pleins d'humour, un sourire éblouissant; on devinait tout de suite l'homme qui a très bien réussi déjà et qui veut grimper encore plus haut. Sous ce vernis de charme et d'entrain, se cachaient une féroce ambition et une volonté tenace, c'est ce que Sally n'allait pas tarder à découvrir. Son charme l'aidait à entrer dans l'intimité de quelques personnages de grande importance et il savait faire le meilleur usage de ces facilités, pour sa carrière et pour le journal. Grâce à ses innombrables relations dans les milieux les plus en vue, sa rubrique regorgeait d'informations de première main et il était très apprécié au Globe.

— Vous êtes diablement trop jolie pour rester dans cette salle pleine de gens hâves et mal balancés, dit-il continuant à badiner. C'est quelqu'un du département artistique qui a dû vous dénicher pour nous embellir la vie!

— Je me demande bien pourquoi je suis ici, dit-elle en laissant échapper un gros soupir et désignant les papiers qui couvraient son bureau: voilà le genre de trucs qui occupent tout mon temps.

Mike haussa les sourcils d'étonnement et la regarda, l'air un peu sceptique; il prit quelques minutes de réflexion puis suggéra avec une feinte désinvolture: "Pourquoi n'allez-vous pas vous plaindre à lui? dites que vous aimeriez quelque chose qui corresponde mieux à vos aptitudes."

— Oh non! c'est impossible, se hâta de répondre Sally qui se repentait d'avoir trop parlé, Mr McIntire a suffisamment de travail sur les bras sans que je vienne encore l'ennuyer avec mes propres histoires. Non, il faut que je...

— Allons! interrompit Mike avec un sourire entendu, vous savez bien que je ne parle pas de McIntire. "Devant la mine perplexe de la jeune fille, il accentua son sourire impertinent pour glisser: "c'est du Hawk que je veux parler."

Pendant un instant elle resta confondue, ne pouvant que le fixer d'un air ébahi, bouche-bée. Sentant le rouge lui monter aux joues à la mention de ce nom, elle rassembla ses esprits et demanda en bégayant: "Que... que voulez-vous dire exactement?"

Mike fit un sourire d'une horripilante mansuétude: "Mon petit, nous sommes tous au courant à propos de Hawker."

— Au courant de quoi?

Elle avait envie de hurler mais elle réussit à parler à voix basse.

— Eh bien que vous arrivez avec... avec son appui personnel; qu'il vous a recrutée lui-même dans ce petit trou — je ne me rappelle plus son

36

nom — de Pennsylvanie dont vous êtes originaire.

Il semblait un peu moins sûr de lui-même sous le regard glacé de la jeune fille. Celle-ci continua à le dévisager tandis qu'elle cherchait à comprendre sans rompre le silence. Tout à coup la pure absurdité des précisions qu'il venait d'énoncer lui apparut clairement: ''Ah voilà pourquoi tout le monde...'' elle ne put achever sa phrase car elle éclata de rire et ce fut au tour de Mike de faire les yeux ronds. Il regarda cette ravissante créature, la tête renversée en arrière, une main sur la bouche, essayant d'étouffer son fou-rire.

Il sourit d'un air embarrassé: ''Sally vous êtes encore plus jolie quand vous riez comme ça mais j'aimerais que vous me mettiez dans le coup.''

Elle répondit du tac au tac: ''Volontiers et cela me rendrait service que vous mettiez tout le monde ici au courant. Le fait est que vous vous méprenez du tout au tout: je ne viens pas avec la recommandation personnelle, comme vous le dites, de M. Hawker, même pas avec son approbation, je le crains (cette incidente était un commentaire qu'elle faisait pour elle-même); je ne sais d'où a pu venir ce ragot mais je vous serai infiniment reconnaissante de bien vouloir le faire cesser le plus vite possible. Comprenez-moi, ajouta-t-elle avec une touche d'ironie, je ne mérite pas d'être ainsi le point de mire de tous ici, cela me rend mal à l'aise. Vous imaginez que je ferais ce genre de besogne si j'étais sa... protégée?''

— Peut-être qu'il ne vous destinait pas au reportage, il avait une autre idée en tête...

Cette allusion scabreuse lui attira un regard si furieux qu'il fit instantanément marche-arrière et murmura une brève excuse. Tentant de l'apaiser il dit: "Maintenant que j'y pense cela ne ressemblerait pas du tout à Hawk ce genre de manoeuvre. Il serait le dernier à mettre chez nous quelqu'un sur qui il aurait des intentions, il est bien trop discret en ce qui concerne sa vie privée. Et puis dit-il d'un air un peu affecté, il a d'autres façons de témoigner de sa reconnaissance.

— Bien, voilà qui éclaire au moins le caractère de Mr Hawker, répondit Sally d'un ton sarcastique. Mike voyait que le tour que prenait la conversation déplaisait souverainement à la jeune fille mais il tenta un autre coup de sonde sur ses relations avec le grand patron:

— Vous savez bien que les journalistes sont terriblement cancaniers, c'est le métier qui le veut. Evidemment Hawker est notre cible n° 1. Qui peut plus que lui stimuler la curiosité des gens: personne ne sait quoi que ce soit sur lui sinon qu'il est riche, puissant et qu'il nous donne notre pain quotidien. Ce pourrait être le plus fameux playboy que New York ait jamais connu mais, à part quelques rares occasions où on le voit avec quelques unes des plus belles créatures du monde, il est très peu sociable.

On sentait dans ces propos une envie mal déguisée. La regardant d'un air interrogateur, il chercha à savoir plus: "Comment cette rumeur sur vous deux a-t-elle pu naître, d'après vous? Vous l'avez rencontré?"

— Oui, une fois, il y a quelques semaines quand il est venu à l'improviste dans les bureaux du journal où je travaillais. Il n'est resté que quelques minutes.

Sally essayait de maîtriser sa voix légèrement altérée par le souvenir gênant de cette fâcheuse soirée. Elle en avait assez de cette conversation. Elle finit par dire: "La rencontre était purement fortuite et a duré le minimum de temps. "Sur ce elle regarda Mike d'une façon qui lui fit comprendre instantanément que mieux valait s'en tenir là.

De retour dans son petit appartement, le soir même, elle put penser tout à loisir à cette conversation avec le rédacteur.

Comment une rumeur aussi dénuée de tout fondement avait-elle pu prendre naissance? Elle pensa avec un sentiment de malaise que le coup de téléphone que Smithy avait donné pour la recommander et où il avait lancé le nom de Hawker pour appuyer sa candidature devait y être pour quelque chose. Il ne fallait qu'un tout petit coup de pouce pour transformer un vague soupçon en un racontar bien nourri et mûr pour être publié dans un journal. Ceci expliquerait bien des attitudes qui jusqu'ici lui avaient paru des plus énigmatiques.

L'attitude hostile ou presque de McIntire entre autres... Le rédacteur local était un homme brusque, un perpétuel agité; son visage et son humeur témoignaient du fardeau harassant qui reposait sur ses épaules. Il était avare de paroles avec tous ses reporters mais s'était montré particulièrement maussade avec elle. A présent, elle ne s'en étonnait plus... s'il avait l'impression qu'elle lui avait été imposée parce qu'on voulait la récompenser de... Rien que d'y penser, elle rougit violemment.

Même histoire avec le reste de l'état-major! Elle songea soudain à Althea Beecham, la froide beauté blonde chargée au Globe du carnet mondain. Un jour qu'elles attendaient ensemble l'ascenseur, elle avait remarqué que cette femme la dévisageait ouvertement. Ce comportement l'avait surprise d'autant plus qu'Althea avait la réputation peu flatteuse de regarder de haut, avec un dédain affiché, les autres membres du journal. Sally, qui le savait par les propos de ses collègues, avait été intriguée du regard appuyé, froid mais admiratif que l'autre lui avait lancé. Elle lui avait rendu délibérément la pareille avec un sourire et un "bon après-midi" plein d'entrain que la fille avait accueilli avec une réserve hautaine. Maintenant Sally avait toute raison de penser qu'elle avait suscité chez Althea cette réaction inhabituelle grâce aux fameuses rumeurs qui circulaient sur son compte. La famille de cette dernière était en relations avec celle de Hawker et il était possible qu'elle fût personnellement intéressée par le riche P.D.G. Elle était digne de figurer dans la catégorie des splendides créatures auxquelles Mike avait fait allusion et qui sortaient parfois avec Hawker.

Elle fut interrompue au milieu de ses réflexions par la sonnette de la porte d'entrée. Cathy et Margaret, deux infirmières qui partageaient l'appartement du dessous, venaient la voir au sujet de la salle de bain. Sally se rappela en effet qu'elles avaient parlé toutes trois de retapisser sa vieille salle de bain qui lui plaisait beaucoup.

— C'est très gentil à vous mais vous êtes sûres que vous n'êtes pas trop fatiguées? dit-elle en sortant de son placard un joli papier fleuri qu'elle avait acheté quelques jours auparavant.

— Au contraire cela nous changera agréablement du genre de besogne que nous avons fait toute la sainte journée!

Cathy s'empara vivement d'un des rouleaux et tout en se dirigeant à pas pressés vers la salle de bain, elle ajouta: "il faut bien que nous méritions le merveilleux souper que vous nous avez promis!" Il n'avait pas fallu longtemps pour que les deux jeunes filles apprirent à apprécier ses talents culinaires, talents qu'elle avait hérités de la tante Emilie. Nourries la plupart du temps à l'hôpital, elles mouraient d'envie de goûter à la bonne cuisine qu'on fait chez soi. Les formes rondes de Cathy prouvaient qu'elle n'était pas insensible à la bonne chair.

Les trois jeunes personnes se mirent à bavarder avec animation pendant qu'elles mesuraient, coupaient et collaient à tour de bras. En dépit de tout ce qu'on lui avait dit de l'anonymat déprimant dans lequel on vivait à New York, Sally s'était adaptée sans aucune peine et en peu de temps. Elle aimait la ville et n'était pas encore blasée; elle savourait le plaisir d'y habiter, d'y déambuler, de voir sans cesse des nouveautés. Elle y était déjà venue plusieurs fois en visite mais n'y avait jamais vécu à demeure et c'était tout différent. Elle attribuait la facilité de son adaptation pour une grande part à la chance qu'elle avait eue de dénicher un aussi charmant petit appartement. Il était situé dans les East Seventies, assez proche du Globe pour qu'elle pût s'y rendre à pied quand le temps le permettait. Il occupait le dernier étage d'une spacieuse ''Brownstone''* dans une rue paisible bordée d'arbres. Une de ses fenêtres donnait justement sur les branches de l'un d'eux, ce qui lui rappelait agréablement sa maison natale. L'appartement comportait un studio de vastes proportions avec une alcôve aménagée en chambre à coucher à l'une des extrémités. La pièce, pas très haute de plafond, avait néanmoins beaucoup de lumière et d'air grâce à une double exposition. Il y avait une minuscule cuisine où le réfrigérateur, le fourneau et l'évier tenaient juste et une salle de bain étonnamment grande avec une vieille baignoire et des installations sanitaires en porcelaine comme autrefois.

Elle avait emménagé dans un appartement complètement vide mais à présent, un mois plus tard, elle jouissait d'un élégant petit home arrangé avec goût et imagination bien que sans mobilier coûteux. La plupart des meubles étaient en rotin ou en fer forgé pour ne pas surcharger la pièce et donner l'impression d'espace. Une profusion de plantes vertes, de tapis indiens hardiment colorés, de bibelots de famille, ses livres favoris et des photos provenant de sa chambre de Glenbrook, rendaient le studio accueillant, intime et gai.

— Vous avez vraiment fait des merveilles dans cet appartement déclara Cathy avec un re-

* Brownstone: demeure aristocratique construit en pierres de couleur brune ou beige.

42

gard admiratif. La besogne terminée, elles prenaient un repos bien gagné, assises autour de la table en glace et fer forgé dans l'attente du repas que Sally était en train de préparer.

— Si vous l'aviez vu du temps de votre prédécesseur — un vieux garçon et *en plus* un artiste — quel fouillis! dit Margaret; nous ne pouvons pas lui jeter la pierre car Cathy et moi, nous avons pris près d'un an pour passer du stade matelas sur le plancher à un semblant d'installation normale!

Cathy appuya les dires de son amie d'un petit soupir d'envie à l'égard de Sally: ''Vous êtes le genre de fille que j'ai toujours rêvé d'être sans avoir le courage de faire ce qu'il fallait. Et vous, vous débarquez et, au bout de trois semaines ici, vous avez l'air d'avoir tout bien en main.''

N'exagérons rien, pensa Sally avec un brin d'ironie envers elle-même mais elle accueillit le compliment en souriant.

Il était exact que, grâce à la douce insistance de tante Emilie, elle était devenue une cuisinière experte et une consciencieuse ménagère dès son adolescence. Les odeurs affriolantes qui émanaient de sa minuscule cuisine n'étaient pas de celles qu'on hume habituellement dans un appartement de célibataire. Bien qu'elle ne fût pas une grosse mangeuse, elle avait pris l'habitude de préparer avec soin les plus humbles plats. Se nourrir d'une boîte que l'on sort d'un réfrigérateur lui paraissait aussi déplacé que de laisser jusqu'au lendemain matin la vaisselle sale dans l'évier.

— Il y a une chose qui manque encore ici, s'exclama Cathy un sourire malicieux aux lèvres. Devant le regard interrogateur de ses compagnes, elle lança: ''Un homme, voilà ce qui manque!''

— A propos, dit Margaret, l'autre soir nous n'avons pu nous empêcher de coller notre oeil au trou de la serrure quand un très beau jeune homme brun vous a raccompagnée à la maison. Peut-on vous demander s'il s'agit d'un chevalier servant ou est-ce une question à ne pas poser?

Sally éclata de rire: ''Il n'y a rien de secret, je vous assure! Il s'agit tout simplement de Mike Costello, un rédacteur du Globe. Si vous le trouvez aussi séduisant que vous voulez bien le dire, je serais trop heureuse de le partager avec vous. Il a assez de charme pour nous faire la cour à toutes les trois! J'ai envie de vous inviter un soir avec lui, ce sera plus facile pour vous que de le regarder par le trou de la serrure, non?''

La proposition fut accueillie avec enthousiasme et, après avoir bavardé encore un moment, elles prirent congé car elles devaient se lever de bonne heure le lendemain pour aller à l'hôpital.

Sally les aimait bien toutes les deux. Elles s'étaient liées très vite après la première rencontre qui avait eu lieu au moment de l'emménagement. Elle se félicita d'avoir eu l'idée de les inviter avec Mike.

Celui-ci l'avait emmenée plusieurs fois le soir et il était temps qu'elle lui rendît la politesse mais elle préférait de beaucoup ne pas rester en tête à tête avec lui. Bien qu'elle perçât à jour ses desseins et ses motivations sous les dehors charmeurs et les frais exagérés, elle ne pouvait s'empêcher de le trouver agréable compagnon. De fil en aiguille elle repensa à leur conversation à propos de Hawker: Mike n'avait pas eu l'air convaincu par ce qu'elle avait affirmé à son sujet. Il lui arrivait souvent de mentionner son nom dans une conversation et d'observer attentivement sa réaction. Elle refusait toujours de mordre à l'hameçon et changeait de sujet avec une célébrité qui affligeait son interlocuteur. Mike avait l'habitude des conquêtes faciles. Quand il décidait de tourner la tête à une femme, il y réussissait toujours, qu'il s'agît d'une standardiste ou de l'épouse d'un homme politique éminent. Lorsqu'il s'aperçut que Sally ne cédait pas à son manège et que ses tentatives excitaient plutôt son hilarité, il se piqua au jeu et devint de plus en plus assidu, de plus en plus pressant.

Puisque ses sourires enjôleurs et ses compliments-massue demeuraient sans effet, il tenta de l'impressionner par ses relations importantes. Il l'avait déjà emmenée dîner chez Sardi, déjeûner au 21* et dans tous les endroits que fréquentaient les célébrités; il y était à tu et à toi avec tout le monde.

Parfois ces attentions persistantes la lassaient mais dans l'ensemble elle se plaisait en sa compagnie. Quand il ne forçait pas son talent, il était un fort agréable compagnon doué d'un grand sens de l'humour; dans ses rares moments de vérité, il le retournait contre lui-même et se livrait à une autocritique des plus spirituelles. Il

* Twenty one (21): Club très sélect de New York situé au 21 West 52 nd Street.

pouvait se montrer cynique, avoir des propos hardis mais savait s'arrêter juste à temps aussi ne se sentait-elle pas gênée habituellement avec lui. Quand il la ramenait chez elle, en fin de soirée, Sally repoussait d'un éclat de rire ses propositions romantiques et il finissait par en rire aussi; résigné, il repartait sagement.

Un soir dans le taxi qui les ramenait, il lui dit avec un désespoir feint: "Après moult réflexions sur ma couche solitaire, au cours d'innombrables nuits sans sommeil, j'en suis arrivé à la conclusion suivante: vous devez avoir en réserve un très gros poisson qui a mordu à l'hameçon et que vous vous apprêtez à ramener sur la berge... sans cela comment pourriez-vous résister à mon propre charme qui — je me le suis laissé dire — opère en général avec succès."

— Après une très courte délibération, moi j'en suis venue à penser que vous êtes par trop humble et doux. Si vous persistez à mijoter dans votre état présent d'hyper-modestie, vous êtes en passe de devenir un pitoyable introverti!

Elle espérait par cette taquinerie esquiver le tour dangereux que prenait la conversation.

— Avouez que vous avez fait de votre mieux pour saboter ma confiance en moi. Dites-moi en toute honnêteté, n'y a-t-il jamais eu un homme capable de faire palpiter ce petit coeur impitoyable?

— Mais oui, il y a eu un certain Billy Chandler qui m'a laissée tomber pour partir avec une blonde, dit-elle l'air sérieux mais en évoquant avec amusement cette malheureuse histoire d'amour qui avait endeuillé sa classe de quatrième.

Mike détecta la lueur malicieuse dans ses yeux et s'entêta: ''Répondez-moi. Vous devez bien admettre que vos grands airs mystérieux suscitent des soupçons bien normaux.''

Sally se raidit, en aurait-il bientôt fini avec cet interrogatoire indiscret?

Le soir même, assise auprès de sa fenêtre grande ouverte, sa pensée vola près de cet homme qu'elle avait en vain essayé de chasser de sa mémoire. Maintenant qu'elle travaillait dans le même bâtiment et qu'elle vivait dans la même cité que Rafe Hawker, il lui paraissait plus lointain que jamais. Elle ne l'avait pas revu depuis cette rencontre à Glenbrook qui l'avait couverte de confusion et, bien qu'elle tentât de ne penser ni à lui ni à la fâcheuse soirée, son nom était si souvent sur les lèvres de l'un ou de l'autre de ses collègues qu'elle ne pouvait réussir à vivre comme si de rien n'était. Elle avait dû constater qu'elle était un des très rares journalistes à avoir eu un échange avec lui, si bref qu'il eût été. Les autres le voyaient à l'occasion traverser la salle de rédaction pour aller dire un mot à Bill McIntire mais il n'accordait d'attention qu'exceptionnellement à la présence d'un Tel ou un Tel et il avait l'air si distant qu'on n'avait pas envie de lui taper sur l'épaule. On ne l'avait jamais vu s'emporter contre qui que ce fût mais son mépris glacé et sarcastique pour quiconque avait mal fait son travail inspirait plus de crainte que ne l'eussent fait des accès de violence. Tous lui portaient un profond respect.

Ses décisions pénétraient dans chaque département du journal pourtant son bureau installé sous le toit, le siège de sa puissance souveraine, était vraiment un monde à part. Sally essaya de se secouer, de bannir de son esprit cette présence pesante, en se disant que, à l'instar de ses collègues, elle pourrait bien travailler pendant des années au Globe sans avoir à croiser son chemin une fois de plus.

Le lundi matin suivant, Sally eut enfin la chance qu'elle attendait depuis le début: on l'envoya pour interviewer une femme âgée qui venait d'être expulsée de la maison où elle venait de passer plus de quarante ans de sa vie. L'histoire promettait d'être assez banale. On devait démolir la vieille maison où elle habitait dans Brooklyn pour construire à la place un complexe de bureaux. La pauvre femme que des souvenirs de toute une existence liaient à ces vieilles pierres avait obstinément refusé de partir et s'y était barricadée longtemps après que les autres locataires eussent quitté les lieux. Lassés d'employer en vain tous les moyens de persuasion et la douceur, les promoteurs avaient enfin fait appel à la police. Un incident de ce genre était monnaie courante à New York où chaque jour des milliers de gens se trouvaient déracinés au nom du progrès. Mais dans la petite ville d'où venait Sally cela ne se faisait pas et elle fut bouleversée par cette épreuve qui s'abattait sur une vieille personne sans défense. Elle rentra au bureau, la mine résolue, les lèvres serrées, pour rédiger son reportage.

Les mots lui vinrent aisément pour compo-

ser un véritable réquisitoire contre cette cité sans
coeur qui, dans un désir effréné de croissance,
piétinait sans merci les hommes qui justement
avaient fait sa grandeur. Une demi-heure après
avoir remis son article, elle fut convoquée par un
des rédacteurs en chef. Il la toisa un bon moment en fronçant le sourcil: ''Je n'avais pas conscience qu'on vous eût chargée d'écrire un édito-
rial'', dit-il d'un ton bourru. Suivit une pause
qui donna des battements de coeur à la jeune
fille et il poursuivit: ''mais ce n'est pas mauvais
du tout, ça me rappelle ces histoires touchantes
qu'O. Henry écrivait sur New York. Nous la
mettrons en page trois demain''.

Sally se sentait des ailes quand elle revint à
son bureau. Décidément il n'existait pas dans la
vie de joie équivalente à celle que l'on ressentait
quand on avait fait du bon travail sur un répor-
tage. Malgré ses tares, le journalisme était une
noble profession où l'on pouvait à la fois partir
en croisade, informer le public et le distraire
aussi. Cela valait la peine de supporter un mois
entier de besognes frustrantes pour s'entendre
simplement dire que ce n'était ''pas mal''.

Le reste de la journée passa vite occupé à
divers travaux. Au moment où elle s'apprêtait à
partir Mike apparut.

— Ces joues qui rosissent si joliment et ces
yeux qui brillent, dois-je croire que c'est mon arrivée qui en est la cause? demanda-t-il avec une
nuance d'espoir.

— A vrai-dire vous n'y êtes pour rien, c'est
un des rédacteurs en chef, répondit-elle d'une
façon qui parut énigmatique au jeune homme.

— Lequel? dit-il en jetant un regard autour de lui d'un air si indigné qu'elle ne put s'empêcher d'éclater de rire. Elle lui raconta ce qui s'était passé et il eut l'air sincèrement content pour elle. Assis sur le bord du bureau il proposa: "Ecoutez, cela mérite la plus grande célébration que cette ville ait jamais connue, venez dîner avec moi ce soir.

— Je pensais justement qu'il était grand temps que je vous rende vos invitations, je vais vous faire un bon petit dîner. Deux de mes voisines qui partagent l'appartement au-dessous du mien, ont très envie de vous connaître, si vous acceptez de venir chez moi.

Un certain désappointement se peignit sur le visage de Mike à l'idée que les deux filles soient là en plus. Il lui fit clairement comprendre qu'il n'aimait pas follement être chaperonné mais cela ne l'empêcha pas d'accepter l'invitation avec joie et, prenant une de ses mains dans les siennes, il la regarda droit dans les yeux: "Vous allez me préparer un repas avec ces deux mains si ravissantes et douces?" demanda-t-il en se parodiant lui-même.

Elle chercha en riant à retirer sa main mais il ne la lâcha pas et la porta à ses lèvres. A cet instant précis, une haute silhouette s'arrêta devant son bureau. Rafe Hawker, observant la scène d'un rapide coup d'oeil, lança un bref regard dédaigneux à Mike et un regard pénétrant et glacé à Sally qui en pâlit instantanément.

CHAPITRE III

Le regard que Hawker lui avait jeté assombrit Sally tel un funeste présage. En y réfléchissant le soir même tandis qu'elle préparait le dîner pour ses invités, elle se sentit en proie à un malaise qui dépassait de beaucoup l'impression désagréable que vous laisse un souvenir gênant. Elle repoussa d'une main rageuse une mèche rebelle en se rappelant que c'était la deuxième fois — en deux occasions de rencontre — qu'elle avait dû lui apparaître puérile et sosotte. La première fois elle pleurait à chaudes larmes, et cette fois, pire encore, il l'avait surprise au moment où tout pouvait porter à croire que Mike et elle flirtaient d'une manière ridicule en pleine salle de rédaction. Elle rougit jusqu'à la racine des cheveux tant elle était confuse de cet épisode.

Le regard de Hawker signifiait plus qu'une simple désapprobation pour la scène à laquelle il assistait. Elle y devinait quelque chose d'hostile et aussi l'expression d'un sentiment qu'elle n'aurait su définir mais qui l'emplissait d'une étrange prémonition. Mike l'avait remarqué aussi, elle en était sûre, et cela augmentait son désarroi. En effet celui-ci lui avait lancé un coup d'oeil chargé d'une intense curiosité; sans aucun doute ses soupçons antérieurs en avaient repris une nouvelle ardeur. Avait-il remarqué lui aussi la nuance d'hostilité. Elle n'avait pas attendu d'en savoir davantage et avait filé avant que Mike eût pu lui en parler.

Mais il allait venir tout à l'heure et elle s'attendait, non sans appréhension, à ce qu'il remît l'affaire sur le tapis. Elle était en train de chercher fébrilement dans sa tête le moyen de parer à ses inévitables questions quand le timbre de la porte résonna. Il était encore trop tôt pour que ce fût un de ses invités et elle alla ouvrir avec un certain agacement. Elle fut très contrariée d'apercevoir Mike sur le seuil.

— Vous êtes en avance d'une demi-heure au moins, je vous avais dit de venir à huit heures, déclara-t-elle un peu sèchement.

— C'est vrai? dit-il en faisant l'innocent. Ne m'en veuillez pas, ma beauté, il y a une heure que je fais le tour du pâté de maisons pour ne pas vous montrer comme j'ai hâte d'être chez vous. Mmm... quels parfums délicieux!

Il eut l'air de humer avec délices les effluves de fine cuisine et entra malgré elle dans la pièce.

Sally n'avait aucun mal à deviner les raisons d'une arrivée aussi prématurée mais elle se dit: s'il croit pouvoir m'interroger à loisir avant la venue de mes amies, il en sera pour ses frais! Elle lui prit des mains le bouquet de roses et les deux bouteilles d'un champagne fort coûteux et bien glacé qu'il lui offrait et proposa: «Préparez-vous un drink et installez-vous confortablement pen-

dant que je termine mes préparatifs dans la cuisine. Les autres vont arriver d'un moment à
l'autre.»

Pour une fois elle était ravie que sa cuisine
fût trop exigüe pour deux personnes. De toute
façon la conversation aurait été impossible pendant qu'elle mettait la dernière main à son repas. Elle s'arrangerait pour ne pas avoir fini
avant l'arrivée de ses deux invités. Elle s'affaira
sans aucune nécessité autour des plats déjà prêts,
jetant un dernier coup d'oeil aux crêpes dorées
farcies de champignons et arrosées d'une sauce
délicate à base de yogourt qu'elle servirait comme hors d'oeuvre. Elle souleva le couvercle de la
marmite où mijotait de l'agneau qui fleurait bon
les herbes aromatiques et entr'ouvrit le réfrigérateur pour admirer encore la mousse d'abricot
destinée au dessert.

Elle n'eut pas à attendre longtemps l'arrivée
de Cathy et de Margaret. Elles avaient dû entendre Mike monter et le suivirent de peu. Âgées
toutes deux de vingt cinq, vingt six ans, elles
étaient assez jolies et primesautières pour que
Mike tournât instantanément ses batteries vers
elles. Leur admiration pour le beau et brillant
journaliste qu'il était créait le climat favorable
dans lequel il évoluait au mieux de ses talents de
séducteur. Les rires fusèrent, la conversation
était animée et pleine d'esprit, aussi Sally, en
dépit de son anxiété secrète, profita-t-elle pleinement de sa soirée. Le dîner fut un véritable
triomphe, chaque plat arrivait au milieu d'ova-
tions et ses invités le dégustaient avec force
louanges et une mine extatique. Elle était fière de

ses talents culinaires, c'était une de ses petites vanités, et rien ne pouvait lui faire plus de plaisir que de les voir reconnus et appréciés. L'après-dîner, passa très vite dans une atmosphère hautement euphorique, il était minuit passé quand les jeunes filles se levèrent pour prendre congé. Naturellement Mike trouva un prétexte pour s'attarder encore un moment. Après avoir dit adieu et refermé la porte, elle s'affala dans un fauteuil, ferma les yeux pour bien lui montrer sa lassitude. En fait, elle était toute tendue intérieurement dans l'attente de l'inévitable interrogatoire qui n'allait pas manquer de suivre.

Après un court instant de silence Mike lança sa première flèche:

— Etant un connaisseur des bonnes choses de la vie, Hawker doit apprécier à leur valeur vos étonnantes capacités de cordon bleu! Le ton était sarcastique à souhait.

Maintenant que le premier coup était porté, Sally s'étonna de ce que Mike se montrât aussi lourdaud, elle s'attendait de sa part à plus de subtilité et de finesse. Elle le regarda avec des yeux ronds et soutint un moment son regard puis, avec un soupir résigné et une voix lasse, elle finit par dire: «Je suppose que vous allez vouloir m'expliquer cette remarque sibylline bien qu'en fait cela ne m'intéresse pas follement.»

— Allons, Sally, vous ne croyez pas que c'est plutôt à vous de me fournir des explications?

Cette fois-ci, ce fut la colère qu'elle devina dans sa voix qui la surprit. Elle hocha la tête et dit d'une voix qu'elle s'efforçait de garder calme: «Je ne vois vraiment pas ce que vous voulez dire.»

— Ah oui vraiment! Oubliez-vous que j'étais présent, cet après-midi? Chérie, savez-vous que mes cheveux se sont littéralement dressés sur ma tête tant il y avait d'électricité dans l'atmosphère quand vous vous regardiez tous les deux, Hawker et vous. Cet homme-là n'a encore jamais remarqué que nous étions des êtres vivants, nous autres! Vous n'allez pas prétendre que cette oeillade de haut voltage qu'il vous a décochée est le genre de coup d'oeil qu'il lance en passant à ses collaborateurs.

Non, se dit Sally, je ne prétendrai rien du tout parce que j'ignore la signification de ce regard. Elle dit tout haut, en conservant son calme: «Je crois simplement que Mr Hawker n'aime pas voir les membres de son équipe badiner pendant les heures de travail; je ne peux pas dire que je le blâme pour cela et j'aurais préféré de beaucoup que ce fût vous et non pas moi à qui il eût lancé un pareil regard.» Mike haussa le ton dans un accès d'indignation: «Alors vous persistez à me jouer cette absurde petite comédie? Voilà des semaines que vous voulez me faire croire qu'il n'y a rien entre vous et le sacro-saint Mr Hawker, que votre arrivée au Globe, juste après sa visite à votre ville natale, n'est qu'une simple coincidence. Vous imaginez que je vais encore gober cela maintenant que j'ai vu cette oeillade incendiaire...»

— Non! Je ne vous demande pas de me croire ou de croire quoi que ce soit, cria Sally se levant d'un bond et l'affrontant, l'oeil rageur et les poings serrés. Qu'est-ce que cela peut me faire d'ailleurs ce qui vous passe par la tête à vous et aux autres? Je suis lasse d'avoir perpétuellement à me justifier. Si vous préférez ne pas croire ce que je vous dis, peu m'importe! Cela dépasse les bornes d'une simple plaisanterie et je ne veux plus supporter vos insinuations. Qu'est-ce qui vous donne le droit de m'interroger, dites-le moi. Je n'ai aucune obligation envers vous et dorénavant vous n'aurez droit à aucune explication de ma part. Si vous continuez à me poser sans cesse ces questions oiseuses, il vaut mieux que nous ne nous voyions plus.

— Pardonnez-moi, Sally, dit-il penaud. Je n'avais pas l'intention de vous persécuter ainsi mais je... j'attache beaucoup d'importance à nos relations, je tiens beaucoup plus à vous qu'à aucune autre des filles que j'ai pu rencontrer. Sans doute je dois être un peu jaloux et je ne sais jamais sur quel pied danser avec vous.

Sally songea que bien des filles auraient aimé entendre une pareille déclaration sortir de sa bouche et pourtant... cela ne lui faisait aucun plaisir à elle! Malgré son ton pathétique, voire même un peu mélodramatique, elle n'avait qu'une faible confiance en sa sincérité. Elle avait conscience qu'elle l'attirait mais c'était le cas pour lui avec toutes les femmes suffisamment séduisantes. Ce qui la rendait particulièrement désirable à ses yeux, c'était la possibilité qu'elle eût une aventure avec quelqu'un d'autre, en particulier avec Rafe Hawker. Puisqu'elle voyait clair dans son jeu, elle pouvait se comporter à son égard avec moins de gêne et plus d'indifférence que s'il s'était agi de quelqu'un d'autre.

— Vous convoitez la propriété de votre voisin, en l'occurence de votre patron, Mike, voilà mon verdict!

— Touché! J'en conviens, dit Mike d'un ton conciliant. Mais il faut bien que vous sachiez à quoi vous en tenir sur mes sentiments à votre égard, sur ce que j'ai ressenti pour vous dès le premier moment où nous nous sommes vus.

— Je crois que je m'en fais une idée assez juste, affirma-t-elle avec un petit rire moqueur, si j'avais eu des doutes, ils auraient vite été balayés par votre beau petit speech de tout à l'heure.

Elle nota une légère crispation des traits de son interlocuteur. Mike Costello n'était pas habitué à voir ses avances repoussées; ce qui était évidemment le cas avec elle. Pendant un instant sa vanité fut aux prises avec son désir obstiné de mener à bien son projet. Il se força à sourire et poursuivit d'un ton humble: «J'espère que vous ne me tiendrez pas rigueur de cette conversation, il me semble que nous sommes devenus de trop bons amis pour cela.»

— Non, je ne vous en tiendrai pas rigueur à condition que jamais plus vous ne remettiez ce sujet sur le terrain.

Elle ajouta dans un profond soupir, j'aimerais que nous nous en tenions là, Mike, je suis épuisée.

Sans insister davantage Mike prit congé,

non sans avoir planté un baiser sur la joue qu'elle lui tendait avec réticence. Fermant la porte derrière lui, Sally s'y adossa, affreusement lasse, et d'une main languissante elle repoussa la fameuse mèche rebelle.

Le lendemain matin Sally reprit sa place derrière son bureau, plus décidée que jamais à travailler d'arrache-pied. Elle fit effort pour éviter tout échange avec Mike à part les «bonjour» d'usage. Elle passa la journée entière plongée dans ses papiers, c'était la ligne de conduite qu'elle entendait suivre dorénavant. Le jour d'après, elle fut convoquée par le rédacteur en chef des nouvelles locales.

— Voilà, lui dit Bill McIntire, je ne sais si cela peut faire un bon article ou non: on nous a donné le tuyau que Michelle Campbell-Jones est de retour de son voyage en Europe et qu'elle séjourne dans un petit hôtel du West Side. Je ne sais évidemment pas s'il s'agit bien de cette fille Campbell-Jones, vous aurez à le vérifier. Si c'est vrai, ce devrait être un bon sujet puisqu'une des plus riches héritières des Etats-Unis revient d'Europe dans le plus grand secret alors qu'elle était censée y être allée pour se fiancer avec un prince. La voilà maintenant qui se cache dans un hôtel miteux alors que ses parents en possèdent de luxueux.

Sally était partagée entre des sentiments contradictoires: d'une part elle était surprise et flattée que le rédacteur en chef lui confiât personnellement un article qui pouvait être précieux pour le journal, cela montrait qu'elle avait grimpé dans son estime. D'autre part, elle n'appréciait guère ce genre de sujet. Mettre son nez partout, essayer de déterrer des secrets ou histoires scandaleuses dans la vie privée des gens célèbres, c'était un des côtés les plus déplaisants de la profession. Mais après tout, il faut prendre dans la vie le mauvais comme le bon, se dit-elle en se rendant dans le département des photos pour y dénicher Sam Allen, le jeune photographe qui devait l'accompagner dans sa mission.

Le petit hôtel du West Side était propre mais on sentait qu'il avait dû connaître de meilleurs jours. Sally lui trouva des restes d'élégance, d'une élégance dédorée. Elle s'assit dans l'entrée pour prendre le temps de réfléchir aux moyens les plus discrets de procéder à ses recherches. L'atmosphère assez raffinée qui y régnait l'empêchait de songer à espionner un des patrons. Tandis qu'elle tournait et retournait ces questions dans sa tête, elle fut soudain alertée par le comportement de son compagnon. Sam avait l'oeil fixé sur le fond du vestibule, on aurait dit un chien en arrêt devant sa proie. Elle se tourna vivement pour suivre son regard. Un couple splendide sortait de la salle à manger et se dirigeait vers l'ascenseur. La femme était mince et brune, l'homme d'un blond très clair avec un corps d'athlète. «C'est elle, c'est la fille Jones,» chuchota le jeune photographe très excité. Sally l'avait également reconnue, elle avait le même âge qu'elle et une réputation de beauté bien méritée. La journaliste la suivit d'un regard admiratif; la jeune femme marchait avec une grâce innée et un port de tête digne d'une reine, cou allongé, épaules bien droites. Dans la demi-obscurité en distinguait sa peau claire et ses sombres cheveux brillants. Sally retint le photographe par le bras et attendit que le couple eût pénétré dans l'ascenseur. Au-dessus de la porte un panneau en cuivre à la mode d'autrefois indiquait à quel étage il s'arrêtait. Elle vit que c'était au cinquième que les jeunes gens allaient.

— Nous n'aurons pas de mal à les trouver, c'est le seul couple qui ait pris l'ascenseur et dans un petit hôtel comme ça, il n'y a pas beaucoup de chambres par étage, dit-elle à Sam. Je crois qu'il vaut mieux que je commence par y aller seule. Si elle voit votre caméra, elle prendra peur et elle parlera moins facilement; je vous appellerai si j'ai besoin de vous.

— Bon sang! Quelle belle fille! dit Sam avec un sifflement admiratif mais il s'empressa d'ajouter galamment: «Quoique vous soyez beaucoup plus mon type! En tout cas j'ai déjà fait un instantané d'elle quand elle montait dans l'ascenseur. Je ne sais pas si ça sera réussi parce que je l'ai pris avec la minicaméra et je n'ai pas osé me servir du flash; enfin ce sera toujours mieux que rien.

Sally se dirigea vers l'ascenseur comme si elle avait tous les droits de son côté. Elle appuya sur le bouton du cinquième et l'ascenseur monta silencieusement. Une fois sur le palier elle aperçut les deux jeunes gens à quelques mètres de là, plongés dans une conversation animée. Sally lutta contre un sentiment de gène et s'approcha d'eux.

— Miss Campbell-Jones? murmura-t-elle.

Ces mots firent sursauter la jeune femme qui jeta un regard inquiet autour d'elle puis sur son compagnon. De près, elle était encore plus belle qu'en photo bien que son visage fût à présent marqué par l'angoisse. Sally sentit plus qu'elle ne vit son compagnon se raidir; elle le regarda à son tour; le coeur lui battit à coups précipités quand elle eut reconnu Marc Whitfield, le jeune sénateur dynamique et extrêmement brillant, l'homme politique le plus célèbre pour le moment à Washington et qui — de surcroît — était marié.

Sam et elle avaient été si absorbés par leur quête de la fameuse héritière qu'ils n'avaient même pas fait attention à son chevalier servant. Retrouvant son instinct professionnel, Sally se rendit compte instantanément de l'importance de l'article qu'elle allait en tirer. Elle sentit presque physiquement l'effort que fit Whitfield pour lui faire face. Il demanda avec courtoisie: «Que pouvons-nous faire pour vous?» On eût dit qu'elle venait le trouver dans son bureau pour demander une faveur alors qu'au contraire elle le surprenait dans une situation compromettante. Elle admira vivement cette présence d'esprit en si fâcheuses circonstances.

— Je dois vous avouer que je suis reporter, déclara Sally sans ambages. Elle vit la jeune femme brune opérer un mouvement de retraite mais le sénateur lui fit une imperceptible caresse pour la rassurer et lui prit la clé. Il ouvrit la porte et demanda avec la même parfaite courtoisie: «Si nous entrions?» Miss Campbell-Jones hésita un instant mais encouragée par un regard également rassurant de Whitfield, elle entra. Le regard avait signifié en clair: «N'aie pas peur, je m'en charge». Sally la suivit et entendit la porte se fermer derrière elle. Ils se trouvaient dans un petit salon de ce qui avait sûrement été autrefois une des suites les plus luxueuses de l'hôtel.

— Puis-je vous offrir un verre? proposa le sénateur. Les deux femmes ayant décliné son offre, il s'en versa un pour lui.

— Bien sûr je pourrais me lancer dans des explications embrouillées pour justifier notre présence ici tous les deux mais j'ai conscience que cela ferait tout de même mauvais effet dans la presse... Sally était dans l'admiration, quel brio pour un notable qui se trouvait dans une situation délicate! La femme ne disait rien, se contentant de fixer ses blanches mains croisées sur ses genoux. Il poursuivit: «Je crois préférable de vous dire la vérité et fais confiance à votre discrétion et à votre fair play. Michelle et moi nous nous connaissons depuis près de deux ans. Elle est partie à l'étranger à cause de moi, de mon ménage. A ce moment-là nous étions persuadés tous les deux qu'il fallait nous y résigner.» Il eut un petit rire amer: «Ce fut une grossière erreur que nous avons payée cher tout ce temps-là. Voici la situation: j'ai réussi à obtenir de ma femme qu'elle accepte un divorce discret mais si elle découvre notre secret à Michelle et à moi, tous nos efforts et nos sacrifices jusqu'à maintenant auront été vains. Un article sur nous à un pareil moment ruinerait nos chances de pouvoir un jour vivre ensemble. Par ailleurs le divorce sera bientôt chose faite.»

La jeune femme intervint alors: «Un article à l'heure qu'il est ruinerait la carrière de Mark.»

Elle avait les yeux brillants de larmes contenues et un ton implorant. Malgré sa beauté et sa prestance, elle semblait si jeune et vulnérable.

— Moi qui croyais que vous deviez épouser un prince européen, s'exclama Sally avec stupeur.

— Mes parents ont tout fait pour cela mais je ne pouvais vraiment pas, non je ne pouvais pas dit-elle d'une voix qui se brisait, les yeux posés sur son compagnon.

Un courant de sympathie muette passa entre les deux femmes. Michelle Campbell-Jones n'était plus la riche héritière mais une malheureuse créature éperdument éprise qui se trouvait aux prises avec une situation sans issue.

— Je sais bien que vous avez à faire votre métier, déclara le jeune sénateur avec réalisme mais si vous pouviez trouver le moyen de vous en sortir sans parler de nous, nous vous promettrions dans l'avenir, quand...ah!... quand nos relations seront moins compromettantes et que nous pourrons envisager de les rendre publiques, de vous assurer tous les interviews exclusifs que vous désireriez. Et moi, en tant qu'homme politique, je serais toujours disponible pour vous.

Sally porta son regard alternativement sur le beau jeune homme et sur sa splendide compagne; l'expression qu'elle déchiffra sur le visage de cette dernière lui dicta sa conduite: «On m'a envoyée ici pour interviewer Miss Campbell-Jones sur les motifs de son retour si soudain d'Europe. Je peux très bien traiter ce sujet sans vous impliquer dedans, Sénateur. Si je peux faire un article original là-dessus, je serai fidèle à mes obligations professionnelles.

Voulant couper court à leurs effusions de gratitude, elle ajouta: «Autant que je sache, personne n'est au courant de votre présence dans cet hôtel. Le Globe a eu un tuyau concernant uniquement Miss Campbell-Jones. Mais vous prenez un énorme risque à habiter ici tous les deux. Si je peux me permettre de vous donner un conseil, je trouve que vous feriez bien de prendre à l'avenir plus de précaution, du moins jusqu'à ce que ce ne soit plus dangereux pour vous d'être vus ensemble en public.

— C'est bien notre intention, s'écria aussitôt Michelle. Il y a si longtemps que nous ne nous étions vus que nous ne pouvions pas attendre plus longtemps, alors Marc a pris l'avion pour venir partager mon petit déjeûner, maintenant il va repartir pour Washington.

— Je vais redescendre chercher le photographe, prévint Sally, il vaudrait mieux que vous disparaissiez avant que nous revenions. Le jeune sénateur acquiesca à cette mesure de prudence et elle ajouta en lui donnant une poignée de main cordiale: «Ne me prenez pas pour une lavette, Sénateur, je ne vous ferai pas grâce de tous les articles à sensation que vous m'avez promis!»

Quand elle revint accompagnée de Sam Allen, Michelle Campbell-Jones était assise sur un siège à haut dossier avec le maintien hautain d'une femme qui peut se permettre aisément de rompre des fiançailles avec un rejeton des plus vieilles familles royales d'Europe. Seul un coup d'oeil furtif et plein de gratitude qu'elle lança à Sally révélait ce lien secret entre elles deux. Sally obtint juste le genre d'informations dont le Globe était friand, c'est à dire une interview de première main d'une personnalité du grand monde, en général inaccessible au cummun des journalistes, livrant au public le récit mélancolique d'une histoire d'amour qui finit mal. De plus elle se sentait l'âme en paix, elle n'avait pas frustré le journal d'un reportage qui plairait et ce sans nuire à Michelle Campbell-Jones. Elle pourrait dorénavant compter sur son amitié et elle aurait toutes facilités pour aller interviewer le jeune Sénateur quand bon lui semblerait.

Bill McIntire se montra satisfait et alla même jusqu'à montrer son enthousiasme pour un reportage qui ferait une excellente première page pour le Globe du lendemain. Ce n'était pas le genre de prose dont Sally pouvait s'enorgueillir mais elle avait néanmoins la satisfaction d'occuper une nouvelle fois la première page du journal et de plaire à son rédacteur en chef.

Le lendemain, après que la première édition eût été distribuée dans la rue, un messager se précipita vers son bureau: «Mr McIntire veut vous voir tout de suite.»

— Entrez et fermez la porte, dit ce dernier quand elle eut frappé à sa porte. Son expression était encore plus maussade qu'à l'habitude quand il jeta une photo sous ses yeux en aboyant: «Jetez donc un coup d'oeil là-dessus!»

Elle se pencha et retint son souffle en apercevant le cliché un peu flou mais où l'on pouvait distinguer Michelle Campbell-Jones avec, à ses côtés, le sénateur Marc Whitfield. Elle se rappela les paroles de Sam: «en tout cas j'ai déjà fait un instantané d'elle quand elle montait en ascenseur». C'était la photo en question qu'il avait prise furtivement et dont il n'était pas sûr qu'on y verrait quelque chose. Hélas! elle n'était que trop claire! Comment avait-elle pu se montrer aussi négligente et ne plus y penser? Elle se traita intérieurement de tous les noms.

— Il s'agit, figurez-vous de Marc Whitfield, sans doute le type le plus connu à Washington après le Président, dit-il d'une voix sifflante. Vous n'allez tout de même pas me faire croire qu'il était là juste sous votre nez en train de faire du boniment à cette fille et que vous ne l'avez pas reconnu?

Sally prit une inspiration profonde et répondit tranquillement et sans l'ombre d'une hésitation: «Je l'ai parfaitement reconnu.» McIntire en demeura bouche bée d'étonnement. Puis il tonitrua: «Bon Dieu! vous allez me dire ce que ça signifie?» en se levant d'un bond et s'approchant d'un air menaçant.

Il ne lui vint pas une minute à l'esprit d'inventer une histoire ou de donner des excuses, elle lui raconta tout franchement de a à z. Bill l'écoutait en silence, les yeux écarquillés de stupéfaction; de temps à autre il hochait le chef comme s'il était obligé d'entendre des choses qui dépassaient vraiment l'imagination.

— Si je comprends bien, vous avez pris sur vous de décider ce qui paraîtrait ou non dans le journal, dit-il au bout d'un moment d'un ton froidement sarcastique qui était plus effrayant à entendre que ses vociférations de tout à l'heure. Et maintenant nous avons loupé un article sensationnel parce que *vous* en avez décidé ainsi. Non seulement vous vous êtes rendue coupable d'une grossière erreur professionnelle en laissant passer un scoop* formidable mais en plus vous avez eu un culot incroyable! Notre directeur va être enchanté d'apprendre que nous avons loué les services non pas d'une reporter mais d'une haute conscience morale en la personne de Miss Sally Spencer.

Si Sally avait eu l'intention de se défendre jusqu'au bout, l'allusion à Rafe Hawker lui en enleva instantanément l'envie. Elle ne savait plus que dire tant elle était énervée en pensant à lui. Troisième fait à son passif dans le livre de comptes du patron! Elle quitta les lieux sans mot dire. Elle voyait fort clairement que du point de vue du journal elle avait commis un péché mortel mais sa conscience ne lui reprochait rien: elle avait eu les informations qu'on l'avait envoyée quérir, même si elle en avait laissé échapper de plus sensationnelles. En tout cas les faits qu'elle avait décidé de passer sous silence ne touchaient en rien à l'intérêt national. Elle ne privait personne d'une information sur un sujet d'importance vitale, elle s'abstenait de publier

* Scoop: primeur d'une nouvelle sensationnelle

des ragots qui risquaient de ruiner à jamais l'existence de deux honnêtes gens.

Si rédacteur en chef et directeur jugeaient que c'était une partie essentielle du rôle des journalistes, eh bien! ils avaient tort. Elle était toute disposée à lutter contre qui que ce fût sur cette notion là. Contre qui que ce fût, répéta-t-elle avec une ferme résolution.

Le lendemain matin de bonne heure, McIntire la fit appeler à nouveau dans son bureau. Il semblait plus calme que la veille, peut-être même un peu gêné.

— Désolé Sally mais j'ai reçu des ordres, il faut que je vous fasse partir.» Il n'essayait pas de faire des périphrases. «Je vous avoue que je le regrette vraiment car vous aviez l'air d'avoir un avenir prometteur, vous étiez en passe de devenir une bonne reporter mais bon sang! dit-il dans un renouveau d'indignation, ce sont des choses qu'un journal digne de ce nom ne peut tolérer.

— Si je comprends bien on me flanque à la porte, demanda Sally d'une voix altérée, tout cela pour un incident dans lequel je persiste à croire que j'avais raison.

Le rédacteur en chef acquiesca sans relever l'allusion: «Oui, telles sont les directives que j'ai reçues, je ne peux aller contre.» Sally devina à son ton qu'en fait il avait essayé de discuter et elle lui en fut reconnaissante.

— Je pense inutile de vous demander qui vous a donné ces directives, Mr Hawker sans doute?

— Oui répondit Bill McIntire sans lever les yeux.

Sally réfléchit un instant puis, le regard résolu, le menton en avant, elle déclara: «je comprends très bien que vous ne puissiez aller à l'encontre de ses décisions mais moi je vais les discuter.»

Le rédacteur lui.lança un regard où perçait une secrète admiration mais il hocha la tête et dit d'un ton paternel: «Allons Sally! n'essayez pas, personne ne s'y frotte!»

— Vous voulez dire que personne n'a jamais osé troubler l'atmosphère de ces hautes sphères du vingt cinquième étage et affronter sa majesté Mr Hawker... même quand on pensait être dans son droit?

— Personne ne s'y est frotté, je vous dis. Ses décisions sont irrévocables.

— Très bien, en ce cas je serai la *première,* affirma-t-elle d'un air buté. Je ne pourrai plus avoir le moindre respect pour moi-même si j'avais peur de quelqu'un au point de ne pas chercher à me défendre.

Sur ce elle quitta le bureau et McIntire la suivit des yeux, stupéfait de son assurance.

Ne se permettant pas la moindre minute d'hésitation, elle alla droit à l'ascenseur et appuya sur le bouton de montée. Elle n'avait été que trop impressionnée et bouche cousue devant ce monsieur dès leur première rencontre. Elle avait rougi puis pâli devant cet auguste personnage si glacé et si hautain. Elle s'était abaissée au point de ressembler à ces stupides employées qu'elle avait entendues susurrer des propos enamourés sur le grand patron comme s'il s'agissait d'une idole chère aux coeurs romantiques. Tout cela était fini et bien fini! Son job, sa carrière, tous les beaux projets échafaudés à New York dépendaient de cette démarche. Elle ne le laisserait pas tout saccager sans dire ouf!

Sa résolution tint bon même quand elle mit le pied sur le palier du vingt cinquième étage. Elle jeta un regard circulaire sur la spacieuse salle de réception en marbre, silencieuse comme une tombe. Quelle porte choisir? Sa décision lui était venue si vite qu'elle n'avait pas même pris le temps de demander un rendez-vous ni les renseignements sur la façon de le voir. Bombant le torse, elle s'approcha d'une des portes massives; un léger bruit de machine à écrire l'encouragea à essayer sa chance. Elle pénétra dans un salon de réception, luxueusement meublé. Deux secrétaires impeccables trônaient derrière d'immenses bureaux séparés l'un de l'autre par une immense étendue de tapis plein vert émeraude.

— Que puis-je faire pour vous, demanda l'une d'elle d'une voix suave.

Sally soupçonna qu'on ne haussait jamais la voix dans ce sanctuaire de haut standing.

— Je voudrais voir Mr Hawker, répondit-elle tout de go.

La fille hésita juste le temps qu'il fallait pour que l'intruse comprît que ce n'était pas un procédé correct et demanda poliment: «Vous avez rendez-vous?»

Suivit une nouvelle pause durant laquelle les deux secrétaires échangèrent des coups d'oeil et Sally, si elle n'avait pas été aussi préoccupée, aurait sûrement pris plaisir à cette pantomime exprimant une totale réprobation.

— Veuillez attendre un instant, je vous prie, dit la première.

Prenez un siège en attendant.

C'est ce que fit Sally tandis que la secrétaire disparaissait par une autre grande porte dans un second bureau. Elle réapparut une minute après. «Si vous voulez bien me suivre.» Elle conduisit la visiteuse dans l'autre pièce tout aussi vaste mais plus intime. On y voyait le même genre d'ameublement coûteux, même carpette moelleuse, mêmes rideaux épais. Il y avait cependant quelques détails plus familiers, des plantes, des photos, un aimable désordre sur le grand bureau derrière lequel était assise une femme d'un certain âge à la figure avenante. Elle regarda Sally en souriant d'un air amical:

— Je crois comprendre que vous aimeriez voir Mr Hawker?

— Oui, s'il vous plaît, bien que je n'aie pas rendez-vous.

— Je suis sa secrétaire personnelle, Eve Tarrant. Je suis obligée de vous demander pour quelle raison vous désirez le voir?

— Il me congédie, avoua la jeune fille, je voudrais lui dire quelques mots à ce sujet.

La femme haussa les sourcils, étonnée, puis son visage s'éclaira d'un sourire approbateur.

— A la bonne heure! Je suis ravie de vous l'entendre dire, bonne chance!

L'accent cordial dont elle lui parla déconcerta Sally sur le moment. On eût dit que la déclaration d'intention lui transformait sa journée. Elle s'en alla d'un pas rapide frapper à une porte à l'autre bout de la pièce; sans attendre de réponse, elle entra en fermant la porte derrière elle.

Sally qui avait tenu bon jusqu'ici sentit son coeur défaillir à l'idée que Rafe Hawker se trouvait de l'autre côté de la porte et qu'il allait sans doute refuser de la recevoir. Avant qu'elle eût eu le temps de se remettre, la porte s'ouvrit et la femme toujours souriante lui fit signe: «Mr Hawker va vous recevoir tout de suite.» Quand la jeune fille passa devant elle, elle eut l'impression qu'Eve Tarrant lui donnait une petite tape d'encouragement.

CHAPITRE IV

La pièce était vaste, ce qui constituait un anachronisme dans l'immeuble ultramoderne qui abritait le Globe. Une lumière tamisée venait de fenêtres hautes et étroites et se reflétait sur les boiseries d'acajou. Des tapis d'Orient jonchaient le parquet merveilleusement brillant. Des livres richement reliés emplissaient des bibliothèques en bois sculpté. De nombreux objets d'art en bronze et en marbre ainsi que plusieurs peintures à l'huile accrochées au mur témoignaient du goût éclectique de Hawker. Sally n'y jeta qu'un bref coup d'oeil car Rafe trônait derrière un énorme bureau Empire et, sous son regard direct mais réservé, elle sentait renaître en elle la tension accoutumée.

Bien décidée à ne pas se laisser intimider, elle déclara du ton pressé d'une femme d'affaires: «Bonjour, Mr Hawker».

Le directeur se leva et dit en indiquant un siège: «Vous ne voulez pas vous asseoir Miss Spencer?»

La jeune fille pria silencieusement: «Je vous en prie, ne me laissez pas cette fois-ci me conduire comme une imbécile» en s'asseyant devant le bureau. Il y avait de quoi se sentir énervée sous ce regard impitoyable. Prenant son courage à deux mains, elle commença:

— Vous savez pourquoi je viens vous voir.»

— Oui mais je désire que vous m'expliquiez, dit-il en se penchant en avant, les sourcils froncés, une nuance de défi dans la voix.

Les nerfs en pelote, elle fit un intense effort pour rester extérieurement impassible et contrôler sa voix: «Fort bien. Vous m'avez mise à la porte d'une façon que je trouve injuste.»

— Je vous écoute, dit Hawker avec une politesse exagérée.

Il l'obligeait à rester sur la défensive, une position à laquelle elle répugnait.

— Depuis que je suis au journal, j'ai fait mon travail avez zèle et conscience. C'est également avec conscience que j'ai rempli la tâche qu'on m'a confiée il y a deux jours.

En le voyant hausser le sourcil, elle répéta avec emphase: «Oui, avec beaucoup de conscience, Mr Hawker. J'ai fait à fond le reportage demandé et mon article était bon puisqu'il a paru en première page dans le Globe d'hier. Ce que j'ai laissé de côté, je me sens parfaitement justifiée de l'avoir omis car en le publiant je ruinais la vie privée de deux personnes, sans parler de la carrière de l'un. J'ai estimé que cela ne présentait aucun caractère de nécessité et que je manquerais de coeur et de sens moral en passant outre.»

Il y eut un silence pendant lequel elle vit un sourire sardonique sur les lèvres de son patron.

— Eh bien! Puisque vous êtes la mieux qualifiée pour juger de ce qui est bien ou mal moralement, puisque votre sens de la justice et votre sens moral sont plus développés que ceux des autres journalistes de chez nous, j'ai l'impression que je ferais mieux de renvoyer Bill McIntire, les rédacteurs, vos aînés, et de remettre entre vos seules mains le sort du Globe.

— Votre ironie est mal venue en de telles circonstances, Mr Hawker, je joue mon job et vous vous servez d'armes piégées.

— En ce cas, cessez de me donner des leçons de conscience morale et professionnelle. Je ne vais pas perdre mon temps et le vôtre à vous démontrer que toute personne connue est une cible naturelle pour la curiosité publique et que notre métier consiste justement à la satisfaire, cette curiosité. Si vous ne comprenez pas cela, vous ne connaissez rien au journalisme.

— Je *sais* ce qu'est le journalisme. Il se trouve que j'ai appris mon métier avec quelqu'un qui est un grand nom du journalisme et qui a donné à cette profession cinquante années de sa vie, répondit-elle avec feu. Mais jamais on ne me fera croire que, pour bien faire notre métier, il ne faut pas hésiter à gâcher la vie d'êtres humains en diffusant sur eux de sales ragots!

— Ce qui démontre à merveille que vous n'avez pas la moindre idée de la raison d'être de ce journal et que vous avez fait une grossière erreur en venant y collaborer. Si vous étiez un peu moins sous le charme de votre Don Juan, vous auriez eu le temps d'apprendre certaines choses essentielles sur le journal pour lequel vous travaillez.

La référence à Mike Costello n'était que trop claire et le ton plein de ressentiment. Cela la laissa fort embarrassée pour trouver une répartie, au moins sur ce point avait-il raison. Elle était la première à déplorer l'incident avec Mike dans la salle de rédaction. Pourtant elle n'en était pas responsable. Elle resta immobile, les yeux baissés.

— Je vois que vous n'avez pas de réponse prête. Chaque fille de l'équipe a eu sa dose du microbe Costello, on pouvait s'attendre à ce que vous aussi y succombiez.

L'attention de Sally fut attirée par la soudaine et intense amertume qui vibrait dans sa voix. Rencontrant son regard, il sourit avec cynisme. «Il me semble à présent que Mr Costello a affaire à forte partie.»

La violence contenue de ce propos décontenança tout à fait la jeune fille. La conversation prenait un tour inquiétant qui lui rendait la tâche fort difficile. Elle s'accrocha tant bien que mal au but qu'elle s'était donné en venant le voir: «Je suis là pour parler de mon travail. Je ne vois pas ce que tout cela a à faire avec...»

— Alors permettez-moi de vous ouvrir les yeux sur ce que mon allusion à notre estimé collaborateur signifiait, coupa-t-il sèchement. Quand je dis qu'il a maintenant affaire à forte partie, je veux dire que Costello, qui ne s'embarrasse pas de vains scrupules quand il s'agit de sa carrière, se sert de tout le monde comme marche-pied pour grimper plus haut.» Il ajouta avec âpreté: «Vous en avez fait de même avec moi, Miss Spencer.»

Elle eut l'impression qu'il l'avait violemment souffletée et elle vacilla sous le choc. On eût dit qu'elle avait reçu un direct au creux de l'estomac; il lui fallut un moment pour s'en remettre: «Mon Dieu! cria-t-elle, mais que voulez-vous dire?»

Il ne parut pas affecté le moins du monde par son ton implorant et ricana: «Puisque vous insistez pour que je mette les points sur les i, je le ferai, je pensais pourtant que vous auriez un peu plus de pudeur. Bref, certaines rumeurs viennent jusqu'à moi.

— Telles que...? demanda-t-elle d'une voix à peine audible.

— Des rumeurs concernant votre manège: vous auriez réussi à faire croire à tout mon état-major que vous devez votre poste au journal à — comment dirais-je? — à certaines faveurs que vous m'accorderiez. Le mot de maîtresse est, je crois, une expression démodée qui convient ici.

Sans tenir compte de la mine effarée de la jeune fille, il continua avec une impitoyable rudesse: «Je dois avouer que vous êtes douée d'une imagination particulièrement puissante et d'un talent de conteuse étonnant pour avoir réussi à transformer une fort brève rencontre en une liaison passionnée. En temps ordinaire, je serais extrêmement flatté d'être l'inspirateur de ces fantasmes mais il se trouve que je suis particulièrement réticent à livrer en pâture ma vie privée; j'ai horreur qu'on répande des récits véridiques ou fictifs à mon propos.»

Malgré son profond désarroi, elle réalisa ce qui s'était passé; bien évidemment ces vils ragots lui étaient venus aux oreilles. Comment aurait-elle pu espérer qu'il en fût autrement? Quelqu'un s'était empressé de tout lui raconter en brodant à sa façon. C'était accablant pour elle mais, sur le moment, elle ressentait plus de colère que de confusion.

— Vous me lancez à la tête les plus viles, les plus méprisables des accusations sans même prendre le temps de me consulter pour savoir si elles sont justifiées! cria-t-elle, la voix altérée puis elle se leva d'un bond et tourna les talons en disant: «vous auriez pu avoir la décence de me demander ce que j'en pensais avant de me jeter la pierre aussi précipitamment!»

Elle se dirigeait vers la porte quand elle sentit qu'il lui prenait le bras d'un geste brutal. Il la força à le regarder.

— Où courez-vous comme ça Miss Spencer? Je croyais que vous étiez venue parler travail.

Sa voix avait des intonations menaçantes et sa poigne d'acier lui serrait le bras comme dans un étau.

— C'est fini! Je ne veux plus de ce travail et je ne veux plus être sous vos ordres, je veux quitter cette maison et ne plus jamais en entendre parler, laissez-moi.

Sa voix tremblait et elle s'en voulut de lui montrer à quel point elle était bouleversée.

— Je ne vous laisserai pas partir avant que vous ne vous rasseyiez pour que nous puissions terminer cette discussion que vous avez entamée, je vous le rappelle.

— Je n'ai plus rien à discuter avec vous... étant données les circonstances.

— Dois-je prendre cette déclaration comme un aveu de votre culpabilité? demanda-t-il d'un ton de plus en plus acerbe.

Sally le regarda en face et l'amertume qu'elle lisait sur son visage lui fit comprendre son point de vue personnel sur cette situation. On n'avait que trop cherché à l'exploiter depuis sa fabuleuse réussite; c'était inévitable avec un personnage aussi puissant, à même d'accorder n'importe quelle faveur. Peut-être était-il terriblement vulnérable à des procédés de ce genre et concluait-il sur le champ à un chantage possible dès que le plus petit indice lui apparaissait. En ce qui la concernait elle était bien trop indignée et gênée pour se mettre à sa place plus longuement. Elle dégagea son bras brusquement et, les dents serrées, ses yeux verts lançant des flammes, elle déclara: «Pensez ce que vous voulez mais il y a au moins une chose que je peux vous garantir, Mr Hawker, pour rien au monde, vous m'entendez, je ne voudrais voir mon nom lié au vôtre. Moi aussi j'ai beaucoup d'exigences en ce qui concerne ma vie privée.»

— Ah? Je ne m'en aperçois pas, du moins tant que Mike Costello y joue un rôle!

Nous y revoilà! se dit Sally avec hargne, si seulement il ne l'attaquait que sur un point, elle aurait moins de mal à se défendre.

— Le rôle de Mike Costello n'a rien à voir dans cette discussion répondit-elle sèchement et elle ne put s'empêcher d'ajouter: «à moins que vous ne vous considériez comme un seigneur féodal dont les vassaux doivent tout accepter, y compris le choix de leurs amis.»

— Vous faites allusion, je pense au «droit du seigneur» avec droit de «cuissage» sur toutes les jeunes vierges de son fief? demanda-t-il avec un sourire sardonique. Il eut la satisfaction de lui voir piquer un fard, instantanément.

— Je vous serais reconnaissante de bien vouloir vous en tenir au sujet de notre discussion. En ce qui concerne ces rumeurs... Elle sentit le sang affluer à ses joues et poursuivit d'une voix hésitante: «Je n'ai jamais mentionné votre nom à quiconque et je n'ai pas la moindre idée de leur origine. Dès que j'en ai eu connaissance j'ai immédiatement essayé de remettre les choses au clair mais... ces ragots ont la vie dure...» Elle balbutiait, totalement déconcertée par l'intérêt évident avec lequel il l'écoutait.

«Cela m'a donné un terrible choc; à moi aussi, cela me faisait horreur de savoir qu'on pouvait raconter des choses pareilles... sans aucun fondement...»

Les mots moururent sur ses lèvres, pourquoi tenter de se donner une contenance digne alors qu'elle ne pouvait s'empêcher de rougir? Les yeux baissés, elle se laissa reconduire jusqu'à son siège.

— Peut-être que le mot «horreur» est un peu trop fort en ce qui me concerne, gloussa-t-il en retournant s'asseoir à son bureau. Pour moi j'aurais dit: «cela m'ennuyait». En tout cas vous avez réussi à me faire entendre que vous ressentiez une grande aversion pour mon nom et que, rumeur ou réalité, vous souhaitiez par-dessus tout n'être en rien associée à lui. Ce fait bien établi, ajouta-t-il sèchement, je veux bien croire que cette affaire a débuté sur un malen-tendu et que c'est grâce à l'imagination fertile d'une bonne âme que tout a pris de telles proportions, comme tous les ragots qui fleuris-sent dans cette maison. Je vous prie de bien vou-loir accepter mes excuses pour vous avoir crue responsable d'une situation qui vous fait telle-ment «horreur» et maintenant, revenons-en à l'autre objet de notre débat.

Toute trace d'amusement avait disparu de son visage qui avait repris son expression austè-re. Sally attendait, sachant que tout autre argu-mentation de sa part était parfaitement oiseuse. S'il voulait se séparer d'elle, elle n'avait pas d'autre choix que de se soumettre à sa décision. En tout cas, elle ne se serait pas laissée faire sans combattre.

— Je ne peux tolérer qu'un reporter ne fasse pas usage de toutes les informations qu'il a à sa disposition et je ne le tolèrerai pas de vous.

Sally pouvait constater que sur le chapitre du journal, il était aussi intraitable qu'on le lui avait dit.

…«Mais j'admets que ce ne soit pas par négligence ou paresse ou pour votre propre pro-fit que vous avez agi; vous avez cru à tort que vous aviez le droit de décider au nom de la morale ce que ce journal avait le droit de publier ou non. Je pense qu'un petit exercice d'humilité vous sera très utile dans votre métier, Miss

Spencer. *Si* vous acceptez de vous y soumettre, dit-il d'un air de défi.

Sally contint les paroles indignées qui menaçaient de jaillir de ses lèvres. Elle trouvait du plus haut comique que ce monsieur eût l'aplomb de lui prescrire une cure d'humilité; de plus elle était traitée comme une enfant indocile qui vient d'être convoquée par le surveillant général dans son bureau pour recevoir l'annonce du châtiment... Ses yeux jetaient des éclairs mais elle leva le menton et le fixa à son tour d'un air de défi. Elle mettrait son point d'honneur à affronter le pensum qu'il déciderait.

— Je vois à votre expression obstinée que vous acceptez, remarqua-t-il, amusé. Il la mesura du regard tout en semblant réfléchir: «Vous pouvez reprendre place au Globe mais, pour l'instant, ce ne sera pas aux nouvelles locales.» Il se tut un instant pour ménager un suspense puis laissa éclater la bombe: «Notre journaliste chargé du carnet mondain, Althea Beecham, m'a dit récemment qu'elle était littéralement submergée de travail. Je suis sûr qu'elle sera ravie que vous lui prêtiez assistance.»

Ceci dit, il attendit sa réaction avec intérêt.

Le coup était pire qu'elle ne s'y attendait, bien pire à ses yeux que d'être flanquée à la porte! Elle n'aurait pu imaginer besogne plus désagréable que d'aider cette fille hautaine et méprisante. Elle voyait fort bien à l'expression de Hawker qu'il le savait pertinemment. Il avait parlé d'exercice d'humilité et à présent il l'observait d'un oeil ironique pour voir comment elle allait prendre la chose. En tout cas, elle ne lui donnerait pas le plaisir qu'il escomptait, à savoir contempler une mine dépitée ou affligée de la sentence prononcée. Elle était bien décidée à paraître totalement indifférente.

— Très bien, Mr Hawker», dit-elle en se levant avec un calme qui lui demanda un énorme effort; le sentiment qui l'envahissait à son égard avoisinait de fort près la haine. Elle mit toute la volonté qu'elle possédait à se donner un visage absolument impassible; cet abominable tyran n'aurait pas la joie de la voir humiliée. «Je commencerai donc lundi mon nouveau travail.»

Très digne, elle s'avança vers la porte mais il la rattrapa avant qu'elle ne passât le seuil. La main sur le loquet, il se mit devant elle: «Bien, dit-il d'une voix devenue douce puis il ajouta en regardant ses lèvres: «cette moue décidée vous convient à merveille!» Une fois de plus sans défense, elle se sentit prisonnière de ce regard ardent et de l'envoûtement étrange qu'elle avait déjà ressenti près de lui. Ses yeux si pleins de magnétisme la retenaient et ne lâchaient pas prise. Elle fit à nouveau effort pour s'y arracher, elle tendit la main pour ouvrir la porte et sa main entra involontairement en contact avec la sienne qu'il laissait posée sur la poignée, elle la retira brusquement comme sous le coup d'une décharge électrique. Il eut un petit rire amusé avant de lui ouvrir.

— Je veillerai sur vos progrès, murmura-til.

Une fois sortie, elle poussa un énorme soupir en renvoyant sa mèche en arrière.

— Vous vous en êtes bien tirée, déclara Eve Tarrant et, comme la jeune fille lui jetait un coup d'oeil interrogateur, la femme expliqua en souriant: «Je ne vous ai pas vue réapparaître en larmes ou blanche comme un linge, ce qui est monnaie courante. On dirait que vous vous êtes bien défendue!»

— Oh oui! disons que j'ai gagné, soupira Sally et elle réalisa que c'était pour le moins étrange que la secrétaire la félicitât d'avoir tenu tête à son patron. Sans doute s'agissait-il d'une aventure exceptionnelle qu'elle appréciait pour des raisons toutes personnelles.

Celle-ci voyant son air affligé lui dit pour la réconforter: «Ne vous faites pas de mauvais sang, vous gardez votre poste?»

— Oui, si on peut dire, fit-elle avec une grimace. Enfin je suppose que c'est tout de même un succès.

Elle commençait à sentir l'épuisement qu'avaient provoqué les affres de la demi-heure qui venait de s'écouler.

La nouvelle que Sally Spencer avait été flanquée à la porte ce matin même avait déjà fait le tour des bureaux. Mais qu'elle eût pris les choses en main et fût allée voir Hawk en personne parut encore plus étonnant à tout l'état-major. Quand elle revint à sa table elle se sentit le point de mire. Elle n'avait aucune envie de répondre aux questions que ses collègues mouraient d'envie de lui poser.

Et elle leur tourna résolument le dos. Peu de temps après son retour dans la salle, Bill McIntire vint la voir, ce qui provoqua un surcroît de curiosité car il ne sortait guère de son propre bureau habituellement. Il la regarda avec inquiétude. La jeune fille lui sourit et il eut l'air soulagé.

— Finalement je n'ai pas été jetée sur le pavé mais j'ai été bannie de votre département, expliqua-t-elle d'une voix qu'elle s'efforçait de garder indifférente et même enjouée. Je suis promue au poste passionnant d'assistante d'Althea Beecham.

Le regard du journaliste fut sur le champ rempli de compassion. Il n'avait pas le temps de se préoccuper de gens tels qu'Althea ni de la section «mondanités» du journal. Pour lui une telle punition était sévère à l'égard d'un reporter.

Il tenta gauchement de la consoler: «Ne vous en faites pas, mon petit, vous serez de retour par-ici en un rien de temps.» Il ajouta comme s'il venait d'y penser: «Au fond je suis heureux que vous ayez pris sur vous de monter le voir.» Il lui tapota l'épaule d'un air gêné et repartit. Les reporters encouragés vinrent la voir en groupe. A voir leur admiration non déguisée pour ce haut fait, on aurait pu croire qu'elle venait de gravir l'Everest et non les cimes interdites du vingt cinquième étage. Elle sentit que la sympathie générale l'accompagnait dans son exil et l'antipathie que tous exprimaient envers Althea n'était pas faite pour l'encourager.

Elle s'efforça de bien remplir sa dernière journée dans la salle de rédaction, faisant tout son possible pour ne pas penser à ce qui s'était passé là-haut. Il faut dire que la conversation avec Hawker avait eu des côtés si perturbants qu'elle savait ne pouvoir les exclure longtemps de son champ de conscience. Elle se réjouissait du week-end qui approchait, derniers jours de grâce avant le pensum. Pendant ces jours de repos elle aurait le temps de réfléchir. Quelque chose en relation avec Althea lui restait en mémoire. Ah oui! Hawker avait dit qu'elle s'était plainte à lui d'être submergée de travail. Donc ils se connaissaient bien tous les deux, sûrement très bien. Ça, c'était le bouquet! Ainsi chacun de ses faits et gestes lui serait soigneusement rapporté; est-ce ce qu'il avait voulu dire quand il avait murmuré qu'il veillerait sur ses progrès?

D'instinct elle était sûre qu'elles ne s'entendraient pas toutes les deux. Elle se rappela comme Althea l'avait dévisagée avec hauteur le jour où elles s'étaient rencontrées près des ascenseurs et ce souvenir donna corps à un soupçon qui s'était insinué en elle depuis peu. Comment Hawker avait-il été informé des fâcheuses rumeurs? Ne serait-ce pas Althea qui lui avait tout raconté? Mais oui bien sûr c'était elle! Qui d'autre avait accès auprès de lui? Qui d'autre, au journal, aurait le front d'aller le trouver pour répéter de tels ragots? Plus elle y pensait, plus elle était convaincue de la responsabilité d'Althea en cette affaire. Et c'est avec cette créature qu'elle allait être obligée de travailler à partir de maintenant! Son antipathie se mua en folle colère. Hawker avait donc l'intention, avec le concours de sa bonne amie, de lui faire la vie si dure qu'elle serait obligée de partir de son plein gré… Elle se sentit plus résolue que jamais à relever son défi.

CHAPITRE V

Myrna Martin, la secrétaire d'Althea Beecham, fut dans tous ses états quand Sally fit son entrée le lundi matin: «Mon Dieu! Tout cela s'est fait si vite... Je ne sais pas ce que Miss Beecham va dire.»

C'était une femme d'un certain âge, mince et nerveuse, qui visiblement avait fort peur de sa patronne. Sa vie n'avait qu'un seul but, servir Althea aussi efficacement que possible et elle regardait d'un mauvais oeil l'arrivée inopinée de Sally.

— Ne vous faites pas de souci, déclara cette dernière d'un ton enjoué sans paraître remarquer la mine revêche de la secrétaire. Etant donné que c'est une idée de Mr Hawker, je ne pense pas qu'elle trouvera à redire.

— Je n'en sais trop rien, dit la femme en hochant le chef d'un air dubitatif, sous-entendant qu'au moins à ses yeux le grand patron ne passait pas avant Althea. Vous comprenez, je n'ai besoin de personne pour m'aider, je n'ai reçu aucune instruction de Miss Beecham, continua-t-elle du même ton maussade, je n'ai même pas de bureau pour vous.

Elle semblait satisfaite de ce dernier argument.

— Miss Beecham semble penser qu'elle a besoin d'être aidée; c'est la raison pour laquelle on m'a transférée ici, répondit Sally avec vivacité, l'attitude hostile de la vieille fille commençait à l'agacer. Elle ajouta: «Cette petite table qui est là-bas dans le coin fera très bien mon affaire si personne d'autre n'en a besoin.»

Elle attendit en vain une réponse, la secrétaire se contenta d'un haussement d'épaules. La jeune fille réprima un soupir et s'en alla disposer ses affaires sur le bureau improvisé. La perspective de collaborer avec Althea était déjà fort rébarbative, dire qu'il fallait en plus supporter la maussade présence de Miss Martin du matin au soir! Malgré son tempérament communicatif, elle décida de ne plus faire d'efforts pour se gagner les bonnes grâces de cette revêche demoiselle. Elle ferait semblant de l'ignorer et travaillerait dans son coin, du moins c'est ce qu'elle se promit.

Il ne lui fallut pas longtemps pour mettre en ordre les quelques objets qu'elle avait apportés et elle put ensuite, tout à loisir, observer le cadre dans lequel elle allait avoir à passer ses journées. Il y avait deux bureaux: l'un où étaient installées la secrétaire et Sally, le second réservé à Althea. On y voyait certains détails de décoration assez luxueux qui manquaient aux autres installations du journal. Par exemple au lieu de stores, c'était des rideaux épais qui pendaient aux fenêtres. La lumière était diffusée par des lampes aux jolis abat-jour modern style au lieu de banales lampes de bureau. De moelleux tapis couvraient le sol. Comme Miss Martin ne semblait pas disposée à entretenir la conversation tant que sa patronne ne lui aurait pas dicté la conduite à tenir à l'égard de la nouvelle-venue, Sally passa les deux heures qui suivirent plongée dans les albums où se trouvaient réunies les coupures de journaux concernant les chroniques mondaines d'Althea.

Après en avoir pris connaissance, elle se sentit encore plus écoeurée à l'idée des besognes qui l'attendaient. Quelle idée de laisser tant de place dans un journal à de pareilles inepties! Une certaine agitation du côté du bureau de la secrétaire attira son attention: malgré l'inconfort de sa situation actuelle, elle ne peut s'empêcher d'observer avec amusement le comportement bizarre de Miss Martin à l'approche de sa patronne: celle-ci fit une apparition spectaculaire laissant derrière elle un sillage de parfum coûteux et entêtant. Sally dut convenir in petto qu'elle était vraiment une beauté, sa chevelure d'un blond cendré encadrait un visage d'un ovale parfait, d'un teint incomparable, avec des yeux d'un bleu profond et des traits exquis. Sa robe de soie bleue moulait un corps svelte aux formes gracieuses. A côté de cette fleur précieuse qui semblait sortir d'une serre, Sally avait l'air d'une robuste plante de jardin avec ses cheveux d'or, ses yeux verts et son teint de pêche. Althea accueillit telle une souveraine les salutations empressées de sa secrétaire et tourna vers Sally son regard brillant et dur: «Qui est-ce?» demanda-t-elle avec une surprise habilement feinte. La jeune fille laissa Miss Martin se répandre en explications tandis qu'elle affrontait sans ciller le regard qui la toisait avec une froide admiration.

— Oui, oui, je me rappelle que Rafe m'en a vaguement parlé pendant le week-end. J'ai peine à imaginer ce qui a pu lui passer par la tête, ajouta-t-elle avec un petit rire méprisant à l'adresse de Sally.

— Je suppose qu'il a pensé à la surchage de travail dont vous vous étiez plainte, riposta la jeune fille qui sut garder tout son calme en dépit de l'impertinence de sa collègue, du moins c'est ce qu'il m'a expliqué en privé vendredi.

Althea ouvrit de grands yeux: «Il vous a expliqué... en privé?»

— Mais oui.

Althea se dirigea majestueusement vers son bureau en disant à la cantonade: «Vraiment je ne savais pas que Rafe se mettait à avoir des conversations personnelles avec ses subordonnés.»

Sally s'était attendue à être traitée avec condescendance et arrogance par la journaliste mais cette insolence à peine déguisée la prenait au dépourvu. Miss Martin avait bu ces propos comme du petit lait et la fixait, bien à l'abri derrière son bureau.

Toute la matinée les téléphones sonnèrent: on invitait Althea à des déjeûners, des dîners, des réceptions de toutes sortes. Elle était née dans ce milieu et, bien que sa famille eût connu des revers de fortune, grâce à sa profession elle continuait à le fréquenter assidûment. Sally se demandait ce qu'elle allait faire dans cette galère quand Althea la fit venir dans son bureau.

— Tant qu'à faire, il vaut mieux que je vous donne un travail utile. Vous ne devez sans doute pas avoir l'habitude des chroniques mondaines?

— Oh non! répondit la jeune fille avec franchise, jusqu'à maintenant j'étais reporter.

Althea crut à une allusion implicite et une certaine contrariété se lut sur son visage. Sally se rendait parfaitement compte que son attitude défiante n'arrangeait en rien ses rapports avec elle mais pour rien au monde elle n'eût voulu lui faire des grâces.

— Quelles que soient les raisons de Rafe pour vous transférer dans mon service, je ne peux aller contre sa décision mais vous ne répondez pas exactement à ce que j'attendais d'une adjointe, dit Althea d'une voix glaciale.

Cela, Sally s'en doutait bien.

Elle poursuivit: «En tout cas, vous allez trouver certainement un changement à partir d'aujourd'hui et tout irait mieux pour tout le monde si vous faisiez un effort pour vous adapter.»

Ces propos sonnèrent telle une menace aux oreilles de Sally mais cela lui était indifférent. Ce qui importait à ses yeux c'est que le directeur n'eût pas révélé à Althea la raison de sa disgrâce, elle lui en sut grand gré.

— J'aurais besoin de vous pour m'accompagner à certaines réceptions; il faudra que je vous aie sous la main aux moments opportuns. C'est odieux pour moi d'être obligée de m'en aller au beau milieu d'une soirée pour dicter par téléphone mon article à ma secrétaire, vous pourrez vous rendre utile à ces moments-là: vous noterez les noms que je vous indiquerai et vous les rapporterez ainsi que les photos au bureau. Bien sûr, insinua-t-elle en regardant la simple robe beige de la jeune fille, cela impliquera des sorties du soir, vous ferez bien de vous acheter les tenues souhaitables, je veux dire des robes du soir.

— Je crois que j'ai deux robes qui pourront aller, dit Sally d'un ton pondéré, ne voulant pas avoir l'air ennuyé. Elle pensait à deux robes du soir extrêmement chic qu'elle s'était offertes au cours d'une partie de lèche-vitrines.

Au même moment on frappa bruyamment à la porte et Mike Costello parut sur le seuil.

— Chérie, je viens juste d'apprendre la mauvaise nouvelle, cria-t-il avec cordialité, ignorant complètement la présence d'Althea. On aurait pu espérer un peu plus d'indulgence de leur part, ils auraient pu vous envoyer en Sibérie au lieu de vous exiler ici!

La fin de la phrase était évidemment destinée aux oreilles d'Althea. Ils échangèrent tous les deux un regard ouvertement hostile.

Sally avait entendu dire que Mike lui avait fait la cour quelque temps; elle l'avait éconduit, ce qui avait infligé à l'amour propre du journaliste une blessure cuisante qu'il n'était pas près d'oublier. Il n'avait pu réussir à la séduire parce que son standing financier et social restait bien en dessous de ce à quoi visait la jeune femme. On les disait ennemis mortels et Sally n'avait pas de peine à le croire; l'atmosphère entre eux était chargée d'électricité et elle n'avait aucune envie de payer les pots cassés.

— Miss Spencer, dit Althea d'une voix sifflante, vous ferez mieux d'emmener votre cher ami hors d'ici et de le prier de faire sa cour ailleurs!

Avant que Mike eût eu le temps de riposter, Sally le poussa hors du bureau. Une fois dehors elle s'exclama, exaspérée: «Vous allez réussir à aggraver encore ma situation! je vous en prie, cessez, les choses ne sont déjà pas si drôles pour moi.»

Mike, qui ne décolérait pas, marmonna quelques paroles peu flatteuses à l'adresse d'Althea puis il déclara exprès d'une voix forte: «Ne vous laissez pas abattre par l'attitude glaciale de cette espèce de dragon. Rien qu'à l'approcher, on a l'impression qu'on va attraper des engelures. Si vous gelez ici, venez dans mon bureau, je saurai bien vous réchauffer», ces derniers mots furent susurrés tendrement.

La petite toux réprobatrice de Miss Martin résonna derrière eux; Mike pivota sur lui-même: «Myrna, ma douce, je ne vous avais pas remarquée, dit-il en se précipitant d'un air joyeux vers le bureau de la vieille fille, il s'empara de sa main malgré ses violents gestes de dénégation et, agenouillé près d'elle, il débita sur le ton d'un homme fort épris: «Sally avez-vous vu que les initiales de cette chère créature sont les mêmes que celles de Marilyn Monroe: M.M.? J'ai toujours soutenu qu'il ne s'agissait pas d'une simple coincidence: ses parents avaient eu une prémonition, mais oui, ils pressentaient comment elle allait tourner!» Miss Martin, furieuse, dégagea sèchement sa main et piqua un fard, ce qui n'était pas fait pour l'embellir. Sally essaya de garder son sérieux et dit d'une voix sévère: «Cessez de faire le clown, j'ai du travail, filez chez vous!» Elle décida qu'elle aurait une conversation sérieuse avec lui pour le dissuader de revenir ici. D'ailleurs il ne fallait absolument pas qu'on les revît ensemble au journal. Elle n'avait pas la moindre envie de se trouver de nouveau sur la sellette à cause de lui et de ses démonstrations pendant les heures de bureau. C'était une inutile provocation que de venir ainsi dans le service d'Althea alors qu'elle le voyait d'un si mauvais oeil.

Le jeudi matin le téléphone sonna et, à entendre les effusions de la secrétaire, Sally devina aussitôt qu'Althea était au bout du fil. Celle-ci désirant lui parler, Sally prit la communication.

— J'aurai besoin de vous à une première, ce soir, annonça-t-elle pompeusement. Pendant l'entr'acte vous rapporterez au bureau les noms et autres détails que je vous donnerai. Mais inutile de vous habiller, vous m'attendrez à l'entrée, je vous y retrouverai après le premier acte. Sally décida donc de ne pas repasser par la maison et tua le temps en flânant devant les jolis magasins. Il faisait une chaleur écrasante et, en émergeant d'une de ses boutiques favorites, elle fut surprise par une forte averse orageuse. Elle n'avait emporté ni imperméable ni parapluie aussi arriva-t-elle au théâtre, à Broadway, trempée jusqu'aux os, sa légère robe d'été lui collant au corps. Elle fila jusqu'aux toilettes pour tenter d'atténuer les ravages de la pluie. Pour la robe, elle ne pouvait hélas! faire grand-chose mais elle essuya tant bien que mal ses sandales et passa un peigne dans ses cheveux humides qui bouclaient trop à son gré. En dépit de ses efforts pour les aplatir, elle ne parvint à rien de satisfaisant; elle dut se contenter de se sécher le visage et de mettre du rouge à lèvres. Elle retourna dans le hall d'entrée où, en attendant l'entr'acte, elle s'amusa à regarder les photos d'acteurs et les vieilles affiches de spectacles. Au bout d'un moment les spectateurs commencèrent à affluer.

Elle se sentit très gênée, perdue au milieu de ces gens élégants arborant des robes du soir, des fourrures, des habits de soirée, comme c'est la coutume quand on assiste à une première. Elle scrutait les physionomies dans l'espoir de découvrir bien vite Althea et de pouvoir s'enfuir aussitôt. Finalement elle la vit s'avancer vers elle telle une reine. Même au sein d'une assistance aussi brillante, elle attirait les regards par sa beauté et son élégance: sa blonde chevelure était coiffée en hauteur et fixée par un peigne de diamants étincelants, sans doute, songea Sally, un souvenir des années de prospérité familiale. Une robe de mousseline bleu turquoise qui retombait en plis souples faisait ressortir son éblouissante carnation. Elle jeta un regard réprobateur sur la robe toute fripée de la jeune fille:

— Vraiment, je ne comprends pas... je vous ai dit que ce n'était pas la peine de vous habiller mais je ne pensais pas que vous vous présenteriez dans une tenue pareille...

Elle n'acheva pas sa phrase mais fit un geste éloquent.

— J'ai été surprise par l'orage dit Sally avec impatience. Elle n'avait pas envie d'entamer une discussion au beau milieu de cette affluence. Elle ajouta: «Le plus vite vous me donnerez ce que je dois rapporter au journal, le plus vite je vous débarrasserai de ma présence». Althea, la mine sévère, tendit une liste de noms à ajouter à la rubrique déjà sous presse. «Maintenant partez vite» dit-elle à la jeune fille qui n'attendait que ça.

— Pas avant de boire un petit verre pour éviter le refroidissement, dit une voix gouailleuse derrière elles.

Sally se raidit, n'ayant aucune envie de se retourner.

— Rafe! Je vous croyais au bar, susurra Althea arborant immédiatement le plus radieux de ses sourires.

Sally glacée de terreur s'obligea à faire face au nouvel arrivant en disant calmement: «Bonsoir Mr Hawker!»

Il répondit par une inclinaison de tête; son regard se posa sur la robe chiffonnée et sur les cheveux mouillés avec une expression beaucoup moins désapprobatrice que celle de sa collaboratrice.

— Vous ne trouvez pas que Miss Spencer supporte à merveille les méfaits de la pluie? dit-il à sa voisine tandis qu'un éclair de malice luisait dans ses yeux noirs. Althea se força à rire comme s'il s'agissait d'une plaisanterie partagée mais en fait elle ne pouvait cacher sa contrariété devant le coup d'oeil admiratif que Hawker avait jeté à Sally.

Un silence chargé d'électricité tomba entre les deux femmes tandis que lui semblait parfaitement à son aise. Sally avait tout de suite remarqué combien l'austère smoking noir seyait à Hawker. Il était le seul homme qui ne parût pas trop habillé. Il semblait aussi à son aise en vêtements du soir que d'autres en jeans. Le noir faisait ressortir les fils d'argent qui commençaient à apparaître dans sa chevelure et la blancheur immaculée de son plastron où scintillaient de petits boutons en or mettaient merveilleusement en valeur son teint bronzé. Jusqu'à maintenant la jeune fille ne l'avait jamais trouvé vraiment beau mais à présent son coeur battit en le voyant dominer la foule de sa haute silhouette.

— «Il vaut mieux que j'aille vous chercher un drink, Miss Spencer, sinon vous allez prendre froid.»

Son ton était fort affable mais Sally crut y deviner une pointe de raillerie. Elle balbutia: «Oh non! je vous remercie mais il vaut mieux que je m'en aille.» Sans tenir aucun compte de ces propos, il les prit chacune par le coude et les guida jusqu'au bar. Elle remarqua comme il fendait la foule avec aisance; les gens semblaient le laisser passer en s'effaçant respectueusement. Il les laissa dans un coin plus tranquille et s'en fut chercher des consommations.

— Il me semble que la soirée s'annonce fort agréable pour vous, dit Althea brusquement et Sally fut surprise par son ton venimeux. Elle répondit avec désinvolture comme si elle se méprenait sur le sens de la phrase: «Oh vous savez, je suis déjà allée très souvent au théâtre!»

La femme blonde laissa échapper quelques mots furieux mais Hawker approchait, suivi par un garçon qui portait au dessus de sa tête un petit plateau d'argent avec leurs drinks. Personne d'autre ne se faisait servir de la sorte. Althea en fut impressionnée et demanda, ravie, «Chéri, comment vous êtes-vous débrouillé pour qu'on nous apporte nos verres à domicile!»

— Il a suffi d'un gros pourboire, répondit-il sèchement. Sally ne put s'empêcher de sourire et l'aima pour cette réponse: il pouvait se montrer tyrannique mais au moins il conservait toute sa lucidité. Pendant ce temps la gracieuse Althea buvait son champagne à petites gorgées, tout en le regardant amoureusement. Elle se mit à bavarder à propos de la pièce et à attirer l'attention de Rafe sur leurs relations communes qui se trouvaient dans les parages. Il l'écoutait courtoisement mais un peu distraitement et Sally se sentait exclue de la conversation.

Elle s'apercevait qu'Althea n'était pas la même quand le directeur était en sa compagnie: elle redescendait des hauteurs glacées où elle planait bien au dessus du commun des mortels et jouait à la petite fille timide, ce qui aux yeux de Sally était une grossière erreur de tactique car Hawker était certainement plus impressionné par un attitude dédaigneuse que par des minauderies trop féminines. Après tout, se dit-elle, je suis bien présomptueuse de décréter ce qu'il aime ou non! Cette fille doit lui plaire puisqu'elle est *toujours* avec lui...

Cette pensée ne lui fit aucun plaisir et elle ne songea plus qu'à prendre congé le plus vite possible. Elle buvait son champagne à petites gorgées en guettant la sonnerie annonçant la fin de l'entr'acte. Comme s'il était capable de deviner ses pensées, Rafe se tourna vers elle en disant: «Vous devez avoir hâte de rentrer au journal pour pouvoir achever votre travail?»

Elle fut un peu déconcertée par ce congédiement assez abrupt mais elle acquiesca tandis qu'Althea, radieuse, posait une main possessive sur le bras de son compagnon en renchérissant: «Oui, Sally, partez vite, je vous verrai au bureau demain.» Sur ce elle lui fit un rapide petit geste d'adieu.

Ravalant sa colère et son humiliation, la jeune fille leur lança un bonsoir plutôt sec; elle allait tourner les talons quand Rafe se précipita vers elle: «Il vaut mieux que je vous raccompagne jusqu'à la porte... avec cette foule!» Et il la prit par le bras. Elle ne put s'empêcher de jeter un regard furtif en direction d'Althea et surprit le visage assombri, le regard chargé de haine, de la jeune femme. Cette dernière recommanda: «Chéri, ne manquez pas le lever de rideau!» mais Rafe n'eut pas l'air d'y faire attention. Tandis qu'il la guidait au milieu de la foule, le contact de sa main posée délicatement sous son bras la brûlait étrangement, elle était fort troublée de le sentir si proche d'elle.

— Il pleut encore très fort, dit-il, lui tenant toujours le bras. Elle avait l'impression que tous les nerfs de son corps convergeaient en ce point précis.

Il ajouta: «Mon chauffeur attend par-là, je vais vous faire reconduire.» Irritée par son assurance et s'en voulant de réagir ainsi à son contact, elle riposta: «Je ne crois pas que ce soit une bonne idée, cela risque d'alimenter encore plus tous ces commérages.»

A peine avait-elle prononcé ces mots qu'elle les regretta amèrement: c'était un coup bas qu'il ne méritait pas car il s'agissait de sa part d'un simple geste de courtoisie. L'espace d'une seconde il la fixa d'un air surpris puis ses doigts lui serrèrent le bras avec plus de force et une ombre passa sur son visage. Il reprit rapidement son expression railleuse: «Vous savez, j'en prends mon parti de ces commérages si vous, de votre côté, ils ne vous gênent pas trop.»

Il se tut pour profiter de l'embarras dans lequel il la mettait et, au bout d'un instant, ajouta: «Comprenez-moi, ce serait très ennuyeux si vous tombiez malade, Tante Emilie est trop loin pour pouvoir venir vous soigner!»

Une fois de plus elle admira en secret sa prodigieuse mémoire. L'admiration céda rapidement la place à la colère quand il déclara d'un ton sarcastique comme si la pensée lui envenait tout à coup: «heureusement votre ami Mike Costello a la réputation de très bien savoir ce qu'il faut faire au chevet de ses belles amies!»

Sally était trop irritée et déconcertée par ces facettes contradictoires de la personnalité de Rafe pour savoir que lui répondre. Il passait si rapidement de l'urbanité à l'arrogance, de la sollicitude à l'ironie... Tantôt il avait la courtoisie de mettre son chauffeur à sa disposition, tantôt il lui lançait les flèches les plus empoisonnées. Cette dernière attaque l'avait particulièrement blessée. Ce soir elle commençait à éprouver quelque chose pour lui , elle en était presque arrivée à l'aimer bien. Cela t'apprendra, se dit-elle, à te méfier de ses cruelles taquineries qui vous tombent dessus toujours au moment où l'on s'y attend le moins.

Elle aurait volontiers pris congé de lui à l'instant même et hélé un taxi mais il l'avait devancée et déjà la somptueuse limousine stoppait devant l'entrée du théâtre; il lui ouvrit la portière et, quand elle fut installée, il dit au chauffeur: «Bob, c'est Miss Spencer. Déposez-la au Globe, vous attendrez qu'elle ait fini son travail et vous la raccompagnerez jusque chez elle. Venez nous reprendre au restaurant où nous irons après la fin de la pièce.»

Avant qu'elle eût eu le temps de dire un mot, il avait disparu à l'intérieur du théâtre après un bref signe d'adieu.

La voiture avançait lentement tant la circulation était dense à Broadway à pareille heure aussi eut-elle pleinement le temps de réfléchir. Comme après chacune de ses rencontres avec Rafe Hawker, elle se sentait énervée, en proie à mille sentiments contradictoires. En quelques instants il réussissait à éveiller tant d'impressions diverses et à lui poser tant d'énigmes difficiles à élucider. S'adossant aux moelleux coussins de cuir, elle chercha à tirer au clair les raisons de son attitude au cours de ces dernières minutes: il n'y avait pas si longtemps qu'il l'avait accusée de se servir de son nom pour se faire plus vite une place au journal; à présent il la faisait raccompagner au bureau dans sa voiture personnelle et, qui plus est, il ordonnait à son chauffeur de la reconduire chez elle ensuite. Si par hasard quelqu'un du journal l'apercevait dans cet équipage, cela alimenterait les conversations de tous les journalistes pendant des jours et des jours!

L'épisode du théâtre, lui aussi, était déconcertant; n'avait-il pas insité pour qu'elle se joignît à eux au bar alors qu'il avait parfaitement perçu l'antipathie et la tension croissante entre elles deux? Ce n'est pas la peine de chercher plus loin, se dit-elle. Il doit aimer susciter des frictions entre les êtres et il les observe avec amusement. Peut-être s'était-il servi d'elle pour rendre Althea furieuse, avec quelle idée derrière la tête?

Quand l'auto arriva devant le Globe, elle dit au chauffeur: «Ce n'est pas la peine que vous m'attendiez, je prendrai un taxi pour rentrer chez moi.»

— Il vaut mieux que je vous attende puisque le patron l'a dit, répondit le chauffeur bien décidé à obéir aux ordres quoi qu'en dise la jeune fille. Celle-ci fut agacée à nouveau. Pourquoi diable chacun prenait-il à la lettre ce que disait Hawker? Enfin! le chauffeur n'y était pour rien, il faisait son travail et elle ne voulait surtout pas lui causer des ennuis.

— Je vais me dépêcher, promit-elle car elle avait horreur de faire attendre.

— Prenez tout votre temps, Miss, répondit-il placidement. En moins d'une heure le travail fut achevé, l'auto l'attendait comme prévu; elle se hâta de s'y engouffrer, très gênée à l'idée qu'un de ses collègues, attardé dans l'immeuble, pût la voir. Tandis qu'ils se trouvaient une fois de plus prisonniers d'un flot ininterrompu de voiture, elle osa lui demander s'il y avait longtemps qu'il travaillait chez Mr Hawker. «Cela fait cinq ans, Miss.» Elle aurait bien aimé lui poser plus de questions pour arriver à en savoir un peu plus sur le compte de ce mystérieux personnage mais elle s'en tint là.

— Et vous, Miss? Il y a longtemps que vous êtes au Globe?

— Non, je n'y suis que depuis quelques semaines. Avant je travaillais dans un journal moins important.

— Vous vous plaisez?

— Beaucoup, la plupart du temps, répondit-elle brièvement.

— Je suis sûr que vous réussirez, Miss, dit le chauffeur après un moment de réflexion.

— J'espère bien que vous avez raison mais pourquoi en êtes-vous si sûr? demanda-t-elle en riant.

— Je le devine rien qu'à vous regarder, déclara-t-il en lui lançant un regard d'admiration dans le rétroviseur. Vous avez l'air de bien aimer votre boulot. Vous ne faites pas une tête ennuyée et jamais contente de la vie comme la plupart des jeunes d'aujourd'hui. En plus le patron doit vous avoir à la bonne, ce n'est pas son habitude de me faire transporter ses reporters à droite et à gauche. Excepté l'autre dame, la blonde qui écrit les trucs mondains.

Plus avant dans la soirée, après que Bob l'eût déposée chez elle, elle réfléchit encore à son propos tout en buvant une tasse de café dans sa chambre plongée dans l'obscurité. Quelle bizarre situation! Rafe et elle étaient en antagonisme constant, ils avaient peine à ne pas se lancer des méchancetés quand ils échangeaient ne fût-ce que quelques mots. Et pourtant la voilà qui collaborait, hélas étroitement, avec une femme qui semblait la considérer comme une ennemie redoutable et qui lui manifestait une animosité croissante. Pour la millième fois depuis qu'elle connaissait Hawker, elle souhaita pouvoir le chasser de son esprit mais comme toujours elle ne pouvait s'empêcher de penser aux rares moments où l'hostilité disparaissait de leurs rapports et où elle surprenait dans ses yeux un regard différent, un regard qui lui donnait envie de connaître la vraie personnalité de ce Rafe Hawker.

Elle se remémora ces moments privilégiés: la première fois quand, dans l'auto arrêtée devant la maison de tante Emilie, elle avait senti, l'espace d'une seconde, qu'elle se noyait dans ces yeux qui la fixaient avec une telle intensité puis il y avait eu cette visite à son bureau, quelques jours auparavant, quand le plus bref contact de leurs mains lui avait provoqué une vive brûlure... Et ce soir même, quand elle avait réussi à le mettre en colère et qu'il avait resserré sur son bras son étreinte. Elle eut honte de s'attarder sur ces instants qui sans doute n'avaient aucune importance aux yeux de Rafe et qu'il avait dû s'empresser d'oublier. Pleine de mépris pour ces rêveries d'adolescente, elle se força à regarder les choses en face. Quels étaient ces faits qu'il fallait prendre en considération?

Eh bien! tout simplement que Rafe et Althea à la minute même devaient souper en tête à tête dans une boîte de nuit ou qu'ils dansaient joue contre joue sur une piste encombrée de couples amoureux comme eux.

Elle s'arracha à la contemplation de cette image pénible, se dévêtit à toute allure et prit une bonne douche. Elle demeura un long moment sous la douce caresse de l'eau, cherchant remède contre la rude tension de cette journée harassante. Elle eut beaucoup de mal à trouver le sommeil. Comment le souvenir d'un homme pour qui elle ne ressentait pas la moindre sympathie pouvait-il l'empêcher si souvent de dormir? Elle ne trouvait pas de réponse à cette interrogation qui l'intriguait.

Le lendemain l'atmosphère du bureau était quelque peu réfrigérante, ce qui ne fut pas pour l'étonner. Vers le milieu de la matinée Althea fit une entrée majestueuse en ignorant délibérément la présence de Sally. Elle s'adressa à Miss Martin pour lui dire en réprimant gracieusement un bâillement: «Je ne reste que deux minutes je suis morte, je ne sens quasiment plus mes pieds, j'ai dansé pratiquement toute la nuit et ne me suis couchée qu'il y a quelques heures à peine. Vous serez un ange de prendre mes communications, vous ne me passerez que Mr Hawker naturellement! Ah! Ce champagne que j'ai bu...» Et elle disparut dans son bureau. Elle en émergea peu de temps après, donna quelques instructions à sa secrétaire et s'apprêta à s'éclipser. S'arrêtant sur le seuil, comme si elle venait brusquement de penser à une chose importante, elle s'approcha de la table de Sally: «Je crains de ne pas avoir été assez claire quand je vous ai expliqué en quoi consistait votre tâche,» dit-elle d'un ton détaché mais son regard perçant avait une lueur méchante. «Les invitations me concernent, Les mondanités, c'est mon métier, pas le vôtre. Quand vous venez aux réceptions ou aux spectacles, c'est simplement en tant que mon adjointe, ne vous considérez pas comme une invitée. Hier soir, par exemple, au théâtre — elle fit de grands gestes avec ses mains couvertes de bagues — il était totalement inutile que vous veniez avec nous boire un verre.»

Sally qui s'attendait à une attaque de ce genre riposta avec une assurance de surface: «Je suis tout à fait de votre avis mais comme vous avez pu le constater Mr Hawker ne m'a pas donné le choix et je ne me sentais pas de force à me quereller avec mon patron dans un lieu public bondé...»

«Peut-être bien, ma chère, marmonna entre ses dents Althea mais vous devriez comprendre qu'il y a une différence entre un geste de pure courtoisie et une invitation faite de bon coeur.»

Sans attendre de réponse, elle sortit de la pièce.

CHAPITRE VI

Sally fit tout ce qui était en son pouvoir pour éviter de rencontrer Mike Costello au bureau et en dehors des heures de travail. Elle n'avait eu que trop d'ennuis à cause de lui et elle voulait désormais se tenir à distance. Il lui téléphona pour fixer un rendez-vous mais elle le remit à plus tard en alléguant de vagues excuses. Elle se doutait qu'il mourait d'envie de savoir ce qui s'était passé et les motifs de son transfert à l'étage d'Althea mais elle n'était pas le moins du monde disposée à lui en parler.

Un matin elle entendit derrière elle des pas pressés, c'était Mike qui courait après elle dans le couloir et qui lui prit le bras d'un geste possessif.

— Ne courez pas si vite, ma beauté, j'ai à vous parler déclara-t-il la mine résolue.

— Pas maintenant, Mike, j'ai du travail.

Ce-disant elle essaya de se dégager de son emprise, craignant d'être surprise en conversation avec lui.

— Cela fait des semaines que vous me chantez la même rengaine, je voudrais bien savoir pourquoi. Si vous ne voulez pas me parler ici, sortez avec moi ce soir. Je n'accepterai pas cette fois que vous me disiez non.

— Bon, dit-elle à regret, alors entendu pour ce soir.

Elle était ennuyée d'avoir dû céder mais une confrontation avec lui ici lui semblait encore plus redoutable et elle pressentait ce que signifiait le "je n'accepterai pas cette fois que vous me disiez non." Mike eut un sourire de triomphe et lui serra la main avec une vigueur particulière.

— Parfait! Je passerai vous prendre à sept heures, Sally, mettez vos plus belles toilettes, je vous emmènerai dans un endroit super chic.

Sally fronça les sourcils, elle n'aimait pas sa façon et trouvait que tous ces beaux discours et ces prétentions du grand monde n'empêchaient pas qu'on le perçât à jour aussi facilement que les garçons de province qu'elle avait connus à Glenbrook.

Pendant qu'elle se préparait ce soir-là, elle eut des remords en pensant à la manière dont elle avait traité Mike pendant ces dernières semaines, elle avait été vraiment à peine polie. Il est vrai qu'il l'agaçait souvent et que ses impertinences l'irritaient au dernier degré mais peut-être l'avait-elle trop rendu responsable des contrariétés qui l'avaient assaillie depuis peu. Comment se faisait-il que Mike eût encore envie de sortir avec elle dans ces conditions alors que tant de filles seraient ravies de se faire inviter par lui? Une fois qu'elle eut revêtu une de ses nouvelles robes du soir, elle commença à se détendre. Après tout la soirée serait sans doute agréable;

il y avait si longtemps qu'elle n'avait eu l'occasion de s'amuser. Ses obligations professionnelles la forçaient à sortir tous les soirs en semaine, aussi profitait-elle en général des week-ends pour rester tranquille chez elle.

Le miroir lui renvoya une image satisfaisante, elle ne regrettait pas la folie qu'elle avait faite le jour où elle s'était achetée cette robe en organdi faite de lés alternativement gris pâle et rose pâle reliés par un fil d'argent. Le corsage ajusté était maintenu aux épaules par deux minces bretelles et la jupe tombait en une cascale mousseuse qui virevoltait à chaque pas autour de son corps svelte. Cette tenue exquisement féminine lui seyait à merveille. Des sandales argentées et un petit sac du soir de la même couleur complétaient sa tenue et attendaient, posés sur le lit, son bon plaisir. Elle releva d'un coup de brosse ses cheveux bouclés pour dégager son cou gracile qu'elle orna d'une simple chaîne en platine à laquelle pendait un médaillon, qui lui venait de sa mère, composé d'un diamant entouré de petites perles.

Elle était assez femme pour se sentir un peu grisée à l'idée qu'elle était vraiment en beauté ce soir-là, son seul regret étant de ne pas avoir à ses côtés un cavalier qui lui plût davantage. Quand Mike arriva, il la couva d'un regard franchement admiratif: «Vous êtes la plus belle créature que j'ai jamais vue! Vous serez merveilleusement en vedette dans la salle Chantilly où j'ai l'intention de vous emmener.» Le restaurant en question était un des plus chics et des plus coûteux de New York; situé au sommet d'un gratte-ciel, il offrait une vue à vous couper le souffle sur l'ensemble de Manhattan. Mike était si absorbé par la contemplation de sa compagne qu'il mit la conversation sur le sujet qui le préoccupait seulement une fois qu'ils furent installés au bar, en train de boire leurs consommations.

— Ne croyez-vous pas que le moment est venu de m'expliquer tous ces sacrés changements. Je vous trouve d'abord dans la salle de rédaction ayant écrit un article qui fait la première page du journal, la minute d'après on me dit que vous avez été flanquée à la porte et, pour finir, je vous découvre quelques jours après fourrée dans le service d'Althea... Que faut-il en penser?

Sally comprit qu'il fallait maintenant parler franchement à Mike; cela vaudrait mieux et pour elle, et pour lui. Peut-être arriverait-elle à lui faire comprendre une fois pour toutes certaines choses importantes. Elle lui raconta donc en gros ce qui avait provoqué son exil. Mike écouta avec attention tout faisant activement fonctionner sa cervelle pour saisir ce qu'elle disait à mots couverts.

— Comme vous le voyez, conclut-elle, cela met fin à vos soupçons et insinuations sur ce qui pourrait exister entre moi et Mr Hawker. Même *votre* esprit retors ne peut dénicher un fondement romantique au fait qu'il m'a fichue à la porte.

Sur l'instant du moins, Mike parut satisfait de l'explication et Sally espéra que le reste de la soirée se passerait plaisamment sans autre interrogatoire en règle.

Mike tint absolument à commander les plats les plus recherchés sur la carte. Il avait grand plaisir à dépenser ostensiblement le plus d'argent possible et, bien que Sally préférât de beaucoup des mets plus simples, elle le laissa choisir à sa guise pour elle aussi. Stimulée par la chair excellente et les vins capiteux, l'humeur du jeune homme était radieuse et il fit de son mieux pour se montrer le plus agréable des convives. Après le repas qui se prolongea, il emmena Sally sur la piste de danse. C'était un danseur plein d'aisance et d'élégance et Sally avec sa grâce naturelle était une parfaite cavalière pour lui. Des regards admiratifs convergèrent vers ce couple qui se livrait à tant de prouesses chorégraphiques! Mike, fier comme Artaban, tint à faire une exhibition parfaite de ses talents. Quand il la guida vers leur table Sally était tout essoufflée. Mike ne s'était pas plutôt assis qu'au grand étonnement de la jeune fille il relança la conversation sur son sujet favori: «Vous pouvez ne rien trouver d'extraordinaire au fait que vous ayez réussi à faire changer d'avis l'implacable Mr Hawker et à revenir sur sa décision de vous mettre à la porte mais moi je vous dis que jamais personne d'autre n'a obtenu pareille faveur!»

Sally le fixa avec de grands yeux: comment? Il n'avait cessé de penser à cela pendant tout le temps qu'ils avaient dansé? Ce garçon était-il donc incapable de lâcher prise?

— C'est sans doute parce que personne n'a jamais essayé, suggéra-t-elle. Elle ajouta non sans ironie: «Il faudrait être vraiment machiavélique pour me flanquer à la porte avec l'idée derrière la tête de me manifester son intérêt en me reprenant à son service. Ne trouvez-vous pas?

Mike se contenta de hausser les épaules sans répondre à la question et poursuivit: «Cela vous a mis dans une fichue position d'avoir à collaborer avec Althea?»

Elle convint que ce n'était pas fort plaisant.

— Vous n'ignorez pas qu'elle court après Hawker et qu'elle est bien décidée à le décrocher?

Brusquement Sally sentit que sa patience était à bout et qu'elle ne prolongerait pas cette conversation une minute de plus. Elle s'écria avec impatience: «Comment voulez-vous que je sois au courant de tout cela, je ne suis dans les petits papiers ni de l'un ni de l'autre! Elle coupa court à une remarque qu'il s'apprêtait à faire en disant: «J'étais en train de passer une charmante soirée, vous n'allez pas la gâcher en continuant à m'entretenir de ce monsieur Hawker? Ne pourrait-on pas le laisser un peu de côté?»

Mike répondit d'une voix pleine d'excitation: «Ce sera difficile dans ces circonstances», et son regard se dirigea vers un angle éloigné de la salle. Les yeux de Sally suivirent la même direction... et son regard croisa justement celui de Hawker.

Il venait d'arriver à sa table en compagnie de plusieurs personnes et était en train de tenir la chaise de sa voisine. Il fit un bref salut à Sally. Celle-ci détourna la tête brusquement comme si on venait de lui asséner un coup violent. Sapristi! pensa-t-elle, si seulement je n'avais pas regardé de son côté. Mike était trop absorbé par la soudaine apparition de leur patron pour remarquer la rougeur subite de sa compagne. Tout à coup elle jeta à Mike un regard soupçonneux: cette rencontre lui semblait une coïncidence étrange. Ravi, il gloussa: «Cela va être extrêmement intéressant!»

— Est-ce que par hasard ce ne serait pas un coup monté.... par vos bons soins?

Il prit immédiatement l'air d'un innocent injustement accusé: «Comment pouvez-vous m'accuser d'un tel stratagème? Cette rencontre est un pur hasard, dire que nous étions justement en train de parler de lui!»

— Ce n'est pas difficile, c'est notre principal sujet de conversation, dit-elle d'une voix pleine de ressentiment. D'ailleurs je ne vois pas ce qui vous remplit d'un tel contentement.

A part elle, Sally trouvait que cette rencontre était assez étonnante bien que ce fût un des meilleurs restaurants de la cité et sans doute un de ses favoris. Elle n'allait tout de même pas se sentir coupable et gênée parce que, par hasard, elle se trouvait dans le même endroit. Elle avait beau décider d'ignorer sa présence et de profiter à fond de sa soirée, elle était énervée et son pouls battait à coups précipités. Pendant le quart de seconde où son regard était tombé sur lui, elle avait noté qu'Althea n'était pas dans le groupe composé de gens d'un certain âge et plutôt corpulents. De toute façon, il pouvait bien souper avec qui il voulait, cela ne la regardait pas, se dit-elle.

Mike finit par avoir assez de tact pour

cesser de fixer l'autre table et faire attention de nouveau à sa compagne. Il fit preuve d'un grand entrain comme s'il eût voulu prouver à toute l'assistance quelle bonne soirée ils passaient tous deux en tête à tête. Quand il l'invita à danser, elle refusa. Il eut un sourire averti: «Vous avez peur que cela lui déplaise de vous voir dans mes bras?» Elle n'était pas d'humeur à se laisser taquiner et suggéra: «Si nous nous en allions, ce serait plus agréable pour tout le monde.»

— Vous ne pensez pas cela paraîtrait bizarre — elle en convint — et il ajouta en ricanant: «et puis je me sens très bien comme ça.» Sally remarqua avec une certaine inquiétude qu'il avait l'air très content de la situation et que — elle en eut un coup au coeur — certainement il avait envie de se faire remarquer par son patron.

C'était un vrai guet-apens, elle se sentit traquée sans merci, caressa l'idée de disparaître dans les toilettes mais réalisa que, si elle se levait, elle ne réussirait qu'à attirer l'attention sur elle. En même temps elle était fort agacée à l'idée qu'elle se laissait gâcher sa soirée uniquement à cause de la présence de ce monsieur. Elle se contraignit à faire bonne figure et à converser avec Mike bien que celui-ci fût passablement distrait par ce qui se passait à l'autre table. Tout à coup son visage s'éclaira et en marmonnant «nous y voilà!» il ébaucha un sourire de bienvenue. Chaque nerf de Sally se tendait, lui signalant l'approche de Hawker. Elle contint un mouvement de panique et au moment où il parvint près de leur table, elle avait réussi à se donner une apparence calme et paisible, seules ses mains crispées sur ses genoux témoignaient de l'effort qu'elle devait faire pour se contrôler.

— «Bonsoir!» prononça la voix nonchalente de Rafe Hawker. Cela s'adressait à Mike et à Sally mais en même temps il regardait uniquement la jeune fille, ignorant son compagnon qui s'était levé. Un garçon qui rôdait dans les environs et dont l'attention avait été attiré par cette haute silhouette, s'empressa d'apporter une chaise supplémentaire. Pendant une brève seconde Sally espéra qu'il allait la refuser et passer son chemin une fois les civilités échangées mais il n'en fut rien.

— Puis-je me permettre, demanda-t-il poliment.

— Je vous en prie, répondit vivement Mike et Sally nota avec contrariété la cordialité du ton qui contrastait avec l'assurance nonchalante de celui d'Hawker.

— Vous tenez une conférence au sommet, demanda-t-il en plongeant son regard dans celui de la jeune fille.

Il était clair qu'il entendait exclure Mike de cette conversation. Mike n'eut pas l'air de s'en apercevoir et dit: «Vous pouvez dire que nous discutions de questions relatives au journal.»

— Quelque chose de spécial, Costello? demanda le directeur en tournant vers lui son regard froid. Mike avait parlé sur un ton hardi; sous l'oeil moqueur de son interlocuteur il perdit un peu de son assurance et continua avec une certaine hésitation: «Oh! nous parlions surtout du job de Sally, elle me disait quel genre d'expérience c'était de travailler avec Miss Beecham.»

Son sourire un peu anxieux démentait l'aplomb de ses propos.

— Ah oui? Parlez-moi de cette expérience, Miss Spencer, dit-il en se tournant vers la jeune fille d'un air amusé.

— Inoubliable est, je crois, le terme qui convient le mieux pour la décrire, répondit cette dernière d'un ton serein.

S'il s'attendait à des plaintes de sa part, il en serait pour ses frais.

Il y eut un moment de silence, Sally se demanda s'il en profiterait pour prendre congé mais non! Il était trop à son aise partout pour se sentir gêné par une conversation plutôt languissante. Mike tenta de la ranimer en se mettant à discourir d'une façon volubile. Sally essaya elle aussi de tenir sa place mais Hawker de son côté ne faisait aucun effort, il ne répondait que par monosyllabes quand Mike lui adressait directement la parole. Celui-ci devint de plus en plus nerveux et perdant sa belle assurance du début finit par parler trop et trop fort. Sally en fut humiliée pour lui, il se donnait en spectacle stupidement mais elle en voulait surtout à Hawker qui, à son avis, se conduisait avec la dernière des impolitesses.

S'il avait l'intention de les laisser tous deux se débrouiller le mieux possible dans cette situation gênante, il ferait mieux de regagner sa table le plus vite possible. La tension montait et tout à coup elle ne put plus y tenir.

— Je vous prie de m'excuser, balbutia-t-elle et, sans attendre leur réponse, elle s'esquiva en direction des toilettes. Elle savait qu'elle ferait figure d'hystérique en s'enfuyant ainsi mais tant pis! Si elle s'était trouvée en tête à tête avec Hawker, elle lui aurait donné la bonne leçon qu'il méritait en s'enfonçant dans un mutisme pareil au sien jusqu'à ce qu'il fût obligé de battre en retraite. Mais hélas! Mike n'avait aucun contrôle et elle ne pouvait supporter de le voir se couvrir de ridicule.

Quand elle se regarda dans la glace, elle constata qu'elle avait les traits tirés et le visage crispé. Elle tenta de se donner meilleure mine en se mettant un soupçon de rose sur les joues et du rouge à lèvres. Elle espérait qu'en son absence Mike aurait assez de bon sens pour comprendre que l'autre ne cherchait qu'une chose, le faire sortir de ses gonds, et qu'il cesserait de faire des frais exagérés. Où étaient passés son aplomb habituel et son insolence? Se pouvait-il que Hawker eût cet effet sur tout le monde? Si elle trouvait une meilleure atmosphère en revenant à leur table, elle presserait Mike de la raccompagner chez elle le plus vite possible. Elle était prête à feindre une migraine ou à inventer n'importe quel autre prétexte pour quitter les lieux. Elle s'attarda encore un instant dans les toilettes mais elle ne pouvait y rester indéfiniment.

En approchant de la table elle eut un coup au coeur en apercevant que la place de Mike était vide. Elle n'avait aucune envie de se trouver seule avec Hawker. Pourvu que Mike revienne vite, pensa-t-elle. Hawker se leva et lui tint sa chaise: «Mr Costello vous prie de l'excuser, il a été obligé de partir en hâte». Il prononça ces paroles d'un ton tout naturel de la même

117

manière qu'il lui aurait annoncé que le restaurant manquait du vin qu'ils avaient commandé. Eberluée, elle leva les yeux vers lui et lui vit un sourire légèrement sardonique. Son irritation et sa stupéfaction l'empêchèrent de s'apercevoir qu'il la forçait presque à s'asseoir et prenait la chaise à côté d'elle.

— Ne soyez pas si bouleversée, lui dit-il avec une insolence qui lui fit monter brusquement le sang aux joues, j'ai promis à Mr Costello que je vous reconduirais jusque chez vous.

— Ah vraiment! s'écria-t-elle en laissant exploser l'indignation contenue jusque là et elle ajouta d'un débit précipité: de quels moyens d'intimidation avez-vous usés pour l'obliger à partir si brusquement?

Il lui jeta un regard indifférent: «Je ne l'y ai pas forcé, je l'ai simplement persuadé... Pourquoi diable voulez-vous que Mike Costello soit intimidé par moi?» Il haussa les épaules. «C'est un homme, que je sache, il pourrait me tenir tête!» Il ajouta avec une pointe de véhémence dans la voix: «A vrai dire, ce n'est pas dans son caractère, il est si pressé de grimper qu'il ne peut se permettre d'avoir de l'amour-propre. Soyez sans crainte: Mike Costello n'ignore pas les procédés d'intimidation, il en use volontiers lui-même mais uniquement avec les gens qui ne peuvent lui rendre la pareille.»

Malgré l'intensité de sa colère, Sally devait convenir en son for intérieur qu'il avait raison, d'ailleurs il n'en pensait pas plus à ce sujet qu'elle-même qui, dès le début de leurs relations, ne s'était pas fait d'illusions sur le compte de

Costello. La force de caractère n'était certes pas son trait dominant. Humiliée, elle constatait combien facilement il l'avait abandonnée sur le terrain, la laissant seule avec un homme qu'elle redoutait.

Elle n'en déclara pas moins à Hawker: «Vous n'imaginez pas que je vais rester ici à vous écouter décrier Mike Costello alors que ce soir vous vous êtes comporté avec une arrogance et une impolitesse dont je n'ai jamais vu l'équivalent dans toute mon existence. Puisque vous êtes si fin psychologue, qu'avez-vous à dire sur votre propre caractère? Qu'est-ce qui vous pousse à obliger quelqu'un à se ridiculiser en public?»

— Vous convenez donc qu'il s'est ridiculisé, rétorqua-t-il avec une véhémence inattendue. Je suis ravi de vous l'entendre dire. S'il avait été en compagnie de quelqu'un d'autre, je ne me serais pas amusé à le ridiculiser, selon vos propres paroles. Mais puisqu'il s'agissait de vous, j'ai jugé que le jeu en valait la chandelle. Vous vous êtes montrée si obstinée en ce qui le concerne que j'ai eu envie de vous le montrer sous son vrai jour.

— Grand merci pour cette faveur que vous me faites, riposta Sally dont les yeux verts jetaient des flammes. Mais vous faites preuve d'une grande présomption; je trouve que vous outrepassez vos droits, que diriez-vous si on s'avisait de vous démonter par a + b les défauts des amis qui *vous* accompagnent?

— Je vous en prie, je suis tout ouïe, dit-il, un sourire amusé sur les lèvres. De qui aimeriez-vous parler?

Sally se mordit les lèvres et rougit légèrement. Elle s'était presque laissée prendre au piège, elle était gênée de sentir qu'il avait fort bien deviné à qui elle faisait allusion, c'est-à-dire Althea. Pour lui enlever tout doute à cet égard, il éclata de rire.

— Voulez-vous danser?

Cette proposition si inattendue la déconcerta au plus haut point. Mais elle dut s'avouer qu'elle en avait fort envie, ce qui la remplit de confusion. Elle voulait savoir ce qu'on ressentait dans ses bras, sur cette piste de danse encombrée où les couples évoluaient étroitement enlacés.

Elle se força à répondre: «Certainement pas. Je n'ai qu'une envie: rentrer chez moi, à moins que vous n'usiez également sur moi de votre écrasante autorité!»

— Ne me tentez donc pas, dit-il en riant doucement et en la regardant d'une façon qui lui fit battre le coeur.

Il s'était immédiatement levé et il attendait qu'elle en fît autant quand une pensée traversa l'esprit de la jeune fille: «Vos amis doivent se demander ce que vous devenez.»

— Je leur ai dit bonsoir avant de vous rejoindre, répondit-il calmement.

— Vous ne doutiez pas de la façon dont les choses tourneraient? ne put-elle s'empêcher de lui lancer.

— Non!

Il disait cela le plus naturellement du monde et le coeur de Sally bondit à nouveau dans sa poitrine.

— Je vous ramène, c'est la moindre des choses puisque je l'ai promis à cette pauvre victime de Costello.

Cette dernière pointe fut accompagnée d'un sourire impertinent qui exaspéra de plus belle la jeune fille. Elle ne pouvait plus discuter sous peine de paraître une gamine obstinée et maussade. De plus elle en voulait à Mike de l'avoir laissée tomber si facilement. Les lèvres serrées et les sourcils froncés, elle se laissa escorter hors du restaurant. En passant devant les glaces qui ornaient le vestibule, elle vit que ses yeux étaient brillants, ses joues cramoisies. C'est la colère, se dit-elle tandis qu'instinctivement elle repoussait une boucle rebelle. Elle vit aussi son image à lui, si grand à côté d'elle.

— Vous êtes ravissante, lui dit-il et elle s'empressa de regarder ailleurs.

Ils descendirent en silence par l'ascenseur jusqu'au garage situé dans le sous-sol. Sally ne l'avait pas prévu, elle pensait prendre congé de lui dans le hall d'entrée de l'immeuble et rentrer en taxi. Maintenant elle ne pouvait décemment s'échapper. Un des préposés conduisit la voiture jusqu'à l'entrée et tendit les clés à Hawker. La jeune fille se demandait pourquoi le chauffeur n'était pas là, quand Hawker lui en donna spontanément l'explication: «Bob a congé ce soir, il regrettera de vous avoir manquée, vous semblez lui avoir fait une grosse impression hier soir lorsqu'il vous a raccompagnée.» Alors qu'elle lui eût donné son adresse, ils firent le trajet en silence. Il était sujet à bien des changements d'humeur mais ce que Sally redoutait le plus c'était ses accès de mutisme. Elle n'osait pourtant prendre la parole tant elle craignait que l'altération de sa voix ne trahît sa nervosité extrême.

Hawker stoppa devant l'immeuble où elle habitait, coupa le moteur et lui jeta un regard interrogateur. La jeune fille déclara avec une certaine emphase non dépourvue d'ironie: «Comment vous remercier pour toute la peine que vous avez prise pour moi au cours de cette soirée! Mais je ne veux surtout pas vous retarder.»

— Je ne me suis donné aucune peine mais puisque vous semblez le croire, peut-être me récompenserez-vous en m'offrant une tasse de café, ce-disant il sortit de l'auto et, tout en tenant la portière pour qu'elle pût descendre à son tour, il dit avec son petit sourire moqueur: «Ne craignez rien, je ne vous retarderai pas!»

Sally se sentit prise de panique à l'idée qu'il montât chez elle. Il l'aida à descendre d'auto et elle marcha d'une allure guindée jusqu'à la porte d'entrée.

— J'habite tout en haut, il n'y a pas d'ascenseur, il faut monter quatre étages à pied.»

Elle ne savait pas elle-même pourquoi elle disait cela.

— Cela ne me fait pas du tout peur, dit-il avec humour tandis qu'il commençait à monter à grandes enjambées. Devant la porte de l'appartement il lui prit la clé et la mit dans la serrure. Ce n'était pas la première fois qu'elle remarquait chez lui ces façons d'une autre époque, d'une époque où la courtoisie était innée. Quelle personnalité complexe! se dit-elle.

Elle tourna le commutateur et Hawker demeura un moment immobile à contempler la pièce basse de plafond. D'une voix hésitante, elle l'invita à s'asseoir pendant qu'elle allait se débarrasser de son manteau du soir et de son sac. Mais il préféra arpenter la pièce en regardant les bibelots avec curiosité. Sally alla dans la cuisine pour moudre du café et elle était à l'évier en train de remplir d'eau la cafetière quand elle sentit qu'il se tenait sur le seuil.

— Vous devez être une parfaite maîtresse de maison, déclara-t-il en observant d'un oeil appréciateur la propreté immaculée de la cuisine.

— Avez-vous passé le doigt sur les meubles pour voir s'il y avait de la poussière, demanda-t-elle ironiquement en baissant la tête pour lui cacher ses yeux. Ce-faisant une boucle lui retomba dans les yeux et comme elle avait les deux mains prises, elle secoua la tête pour essayer d'y remédier. Hawker s'avança et doucement remit la mèche en place non sans en avoir noté la souplesse soyeuse. Elle frémit à ce contact imprévu et s'écarta d'un mouvement brusque. Elle n'avait senti qu'une brève seconde sa main sur son front mais cela avait suffi pour lui faire battre le coeur à coups précipités. Le temps de fermer le robinet, il avait déjà disparu.

Pendant que le café passait, elle alla au salon préparer un plateau avec le service à café, la crème, le sucre. Hawker était assis, ses longues jambes allongées. Il suivait du regard ses moindres déplacements, réussissant à l'intimider profondément. Le café versé, il but une gorgée d'un air de connaisseur et déclara: «Vous êtes une des rares femmes que je connaisse à savoir comment on fait du bon café!» Sally laissa passer le compliment avec indifférence: elle n'avait aucune envie, ce soir, de jouer à la parfaite maîtresse de maison. Ce n'est pas elle qui l'avait convié, elle était ennuyée de sa présence, en conséquence à lui de faire les frais de la conversation!

Il ne semblait pas s'apercevoir de son comportement réticent et continua à bavarder avec la plus grande aisance mais elle était bien décidée à lui faire payer son silence grossier de tout à l'heure.

— Est-ce que votre appartement est conforme aux normes de sécurité?

Sally fut vexée de cette question, à vrai-dire, toutes ses réflexions la vexaient, ce qui venant d'un autre aurait paru de la sollicitude lui paraissait de la condescendance de sa part à lui.

Elle répondit sèchement: «Bien sûr!» puis regrettant son ton, elle corrigea: «du moins je crois qu'il est pareil à cet égard à tous les autres appartements de cette ville.

— New York ne présente pas plus de risques qu'ailleurs si on se conforme aux règlements mais j'ai remarqué que vous n'aviez pas de dispositif de sécurité à l'entrée de l'immeuble et je crois que vous devriez faire mettre un verrou supplémentaire sur votre propre porte.

Elle ne put s'empêcher de sourire tant ces conseils d'ordre pratique lui semblaient étranges émanant de lui. Il surprit ce sourire et sourit à son tour. Elle ne s'y attendait pas et de nouveau piqua un fard, elle détourna brusquement la tête pour qu'il ne s'en aperçût pas. C'était la première fois qu'elle lui voyait un sourire sincère sans l'ombre de moquerie ou de cynisme. Il changea de conversation, avait-il deviné son embarras ou s'agissait-il d'une tout autre raison?

— Avez-vous eu des nouvelles de Mr Smith récemment?

— La semaine dernière seulement, répliqua la jeune fille, ravie du nouveau tour que prenait la conversation. Je lui écris assez souvent mais lui, comme beaucoup de journalistes, il déteste écrire une lettre, il préfère me téléphoner. Il va bien et m'a dit que Le Patriote marche toujours bien.

— Vous semblez vous entendre à merveille tous les deux, il nourrit des sentiments de fierté paternelle à votre égard.

Sally se contenta d'un petit signe de tête d'assentiment.

— Et votre tante Emilie, comment va-t-elle?

La jeune fille lui lança un regard soupçonneux: «Pour quelqu'un que vous n'avez jamais vu, vous semblez vous intéresser beaucoup à elle... Voilà déjà plusieurs fois que vous m'en parler.

En effet cet intérêt qu'il portait à la tante Emilie intriguait fortement Sally, elle n'aurait pas cru qu'un personnage tel que Hawker pût se pencher sur les membres d'une modeste famille de province.

Il réfléchit un instant avant de répondre:

«C'est vrai! Je ne l'ai jamais vue mais je me la représente si bien... Je suis sûr qu'elle possède ce que je n'ai jamais trouvé dans ma tante ou n'importe quel membre de ma famille. Quand j'étais gosse, je passais beaucoup de temps le nez collé à la vitre d'une maison comme celle de votre tante mais moi j'étais dehors... et je regardais à l'intérieur!

Cette remarque candide désarma complètement Sally, elle nota à la fois l'amertume et la nostalgie qui perçaient dans sa voix. Etait-ce là le secret de sa personnalité, la couche profonde datant de l'enfance d'où jaillissaient toutes les contradictions qui le rendaient si difficile à comprendre? Des événements tristes à l'origine de sa vie l'avaient rudement modelé, en avaient fait un homme bouclé sur lui-même et toujours sur la défensive. Elle attendit qu'il en dît davantage, avide de connaître ce qui se cachait derrière cette façade énigmatique mais il remarqua son regard attentif et éclata d'un rire bref: «Je pourrais vous faire marcher en vous contant une belle histoire de mauvais traitements et de déveine, je vois que vous avez un faible pour cela mais je n'en ai pas envie. J'aime mieux vous entendre parler de votre famille et de la vie que vous meniez à Glenbrook.»

Sally se sentit petit à petit entraînée à raconter sa vie au foyer heureux et aimant des Holloway, les joies et les privations d'une famille modeste et droite dans une petite ville de province bien tranquille. Elle parla de ses parents, de son enfance passée auprès de son oncle, de sa tante, et de leurs cinq enfants. Comme sa timidité avait totalement fondu, elle parla même du saule pleureur, secret dont elle n'avait parlé à personne jusqu'ici. Hawker l'écoutait de toutes ses oreilles, penché en avant, sans faire montre du moindre cynisme. Il la fixait d'un regard si intense que la jeune fille gênée se tut brusquement. Elle était stupéfaite qu'il eût réussi si aisément à la faire parler tandis que lui restait toujours aussi impénétrable. Leurs regards se croisèrent, elle sentit un frémissement dans les mains mais cette fois, elle se rendait compte qu'elle n'avait plus affaire à un homme qui voulait exercer son pouvoir sur elle, la réduire à sa merci mais à quelqu'un qui, comme elle, cédait à une sorte d'envoûtement.

Hawker fut le premier à recouvrir ses esprits et son visage s'abrita à nouveau derrière une expression énigmatique. Sally, profondément troublée, eut un geste maladroit et fit tomber par terre sa tasse de café qui se brisa en mille morceaux. Avant que Hawker eût pu se baisser, elle était déjà à quatre pattes pour ramasser les morceaux. Elle frotta la tache sur le tapis aux pieds de son patron, trop contente de ce prétexte pour lui dérober la vue de son visage. L'instant d'après, elle crut que son coeur s'arrêtait de battre: le souffle coupé, elle sentit qu'il lui caressait doucement la courbe de la nuque puis, se penchant encore davantage, il y déposa un baiser, juste à la naissance des cheveux. Elle vacilla, envahie d'une sensation de grande faiblesse. Ce n'était plus comme auparavant une sorte d'onde électrique qui la parcourait: elle se sentait brusquement vidée de toutes ses forces; ce si tendre baiser la laissait épuisée. Une seconde elle resta dans la même position, à genoux puis il l'aida délicatement à se relever et à s'asseoir à côté de lui.

Jamais un geste arrogant ou agressif de sa part ne l'aurait rendue à ce point vulnérable mais cet accès de tendresse si imprévu, si singulier... Elle aurait imaginé que s'il lui était venu l'idée de l'embrasser, il s'y serait pris avec son cynisme ou son autoritarisme habituels. Elle était si absorbée par les sentiments et sensations confus qu'il venait d'éveiller en elle qu'elle ne s'aperçût même pas qu'il était parti à la cuisine, il revint avec un chiffon humide pour enlever la tache de café. Sa besogne achevée, il releva la tête et la taquina de sa voix moqueuse: «J'aime mieux vous voir dans ce fauteuil et non plus prosternée à mes pieds, Miss Spencer!»

Elle eut de la peine en constatant qu'il avait recouvré si vite son assurance habituelle et qu'il tournait la chose en dérision. Encore une fois elle se posa la question: était-ce par excès de délicatesse ou par inconstance qu'il changeait si promptement de façon d'être?

— Moi qui croyais que vous aimiez voir les gens... à vos pieds, riposta-t-elle essayant d'adopter la même légèreté de ton alors que tout son être vibrait encore de son geste de tout à l'heure. Devant ce masque à nouveau impénétrable, elle se demanda avec angoisse s'il ne regrettait pas déjà ce moment de faiblesse car sûrement, tôt ou tard, il en viendrait à le juger ainsi, songea-t-elle avec amertume. Pourquoi donc fallait-il qu'il fût passé maître dans l'art de déguiser ses sentiments alors qu'elle sentait encore ses mains trembler et ses yeux humides trahir ce qu'elle venait d'éprouver?

— Non, pas à mes pieds! dit-il en riant. En fait je préfère les voir à une bonne distance.

Est-ce pour moi qu'il dit cela, se demanda-t-elle blessée de son apparente indifférence.

— J'imagine que la plupart des gens essaient de vous donner cette satisfaction, se força-t-elle à dire.

— Vous essayez?

Son sourire avait une nuance de défi.

Elle répondit par un oui assuré. Inévitablement ils reprenaient tous deux le ton de la première partie de la soirée comme ce qui venait de se passer n'était qu'un fruit de l'imagination de Sally, comme si elle avait rêvé ce tendre baiser... Il semblait ne plus en garder le souvenir. La jeune fille ne savait plus à quoi s'en tenir, la rapidité avec laquelle il changeait d'intonations et d'expression la déconcertait totalement. Trop énervée pour rester en place, elle se leva avec une nervosité qu'il interpréta comme son désir de le voir prendre congé, il se leva aussitôt.

— Merci pour ce merveilleux café, dit-il avec une politesse qui agrandit encore le gouffre qui les séparait. Il se dirigea vers la porte, Sally sur les talons. Il faillit la heurter quand il se retourna pour lui dire: «Ne vous attendez pas à des excuses de ma part pour ce qui s'est passé au restaurant, déclara-t-il avec arrogance, en fait je n'ai pas le moindre remords d'avoir gâché votre soirée avec Mike Costello.»

Cette remarque ramena Sally brutalement

sur la terre: cette première partie de la soirée lui paraissait noyée dans la nuit des temps, elle l'avait presque oubliée comme si la scène avait été jouée par deux acteurs inconnus. Mais elle lui revenait en mémoire à présent et, de plus, elle était prodigieusement agacée par cette certitude qu'il avait de ne jamais se tromper. A l'entendre, elle lui devait une gratitude éternelle de l'avoir débarrassée de la compagnie indésirable de Mike Costello. Elle sentit affluer de nouveau colère et ressentiment.

— Même une naïve fille de la campagne comme moi sait qu'elle n'a pas à attendre d'excuses de la part de l'infaillible Mr Hawker, déclara-t-elle sèchement.

— Je suis bien content de vous l'entendre dire, et il la fixa intensément avant d'ajouter: «car sachez que je ne regrette aucun moment de la soirée.»

Le sens de ces dernières paroles était clair, elle pensa au baiser et détourna vivement les yeux. Il sourit: «N'oubliez pas ma recommandation au sujet du verrou supplémentaire.»

Elle fit un signe affirmatif de la tête.

— Bonne nuit, Sally lui dit-il avant de descendre l'escalier. C'était la première fois qu'il l'appelait par son prénom et ce petit signe d'intimité comme beaucoup de ses gestes de la soirée la prit au dépourvu, ajoutant à sa confusion.

Elle referma doucement la porte et y resta adossée un long moment. Comme cette soirée avait été longue! Tant de choses s'étaient passées, n'y avait-il que quelques heures qu'elle se préparait dans sa chambre pour sortir en compagnie de Mike? Où se trouvait-il à présent, à quoi pensait-il? Elle ne s'attarda pas à se poser ces questions. Il y avait tant d'autres énigmes à résoudre, toutes plus déconcertantes les unes que les autres. Elle passa la plus grande partie de la nuit à se tourner et retourner dans son lit à la recherche d'explications qui la fuyaient.

CHAPITRE VII

Un matin, quand Sally arriva au bureau, Myrna Martin lui annonça d'un air important que Miss Beecham avait laissé un message pour elle. «Elle veut que vous veniez la retrouver au Waldorf-Astoria où il y a cette soirée de bienfaisance avec présentation de collections; le rendez-vous est fixé à huit heures.»

Sally poussa un soupir d'impatience. Elle n'aurait pu dire ce qu'elle détestait le plus entre rester au bureau sans grand-chose à faire et courir à la demande d'Althea le soir pour accomplir des tâches aussi inintéressantes qu'inutiles. La rédactrice de la rubrique mondaine avait fort bien pu jusqu'ici se passer d'une adjointe, sa secrétaire lui suffisant amplement, mais maintenant qu'elle avait Sally sous la main, elle s'en servait surtout pour se donner de l'importance aux yeux de ses relations. Elle demandait constamment à la jeune fille de se trouver à telle ou telle réception pour des broutilles; parfois elle se contentait de lui passer quelques noms d'invités qu'elle aurait aussi bien pu communiquer par téléphone à la toujours zélée Miss Martin. Sally n'avait qu'un désir: se retrouver le plus vite possible dans la salle de rédaction dans l'atmosphère animée d'un grand journal, au milieu des conversations des reporters. Mais son amour-propre lui interdisait d'y remettre les pieds pour le moment. Cependant les autres reporters venaient parfois lui exprimer leur bruyante sympathie et la mettre au courant de tout ce qui survenait au Globe.

Une fois même, à son grand étonnement elle avait vu surgir Bill McIntire qui venait demander de ses nouvelles. Il s'était montré nerveux et gêné, aussi à l'aise dans le bureau de la jeune fille qu'un éléphant dans un magasin de porcelaines. Mais Sally lui fut reconnaissante de cette visite qui lui remonta le moral. Miss Martin tenait un compte exact de tous ces intrus qu'elle observait, les lèvres serrées, tout comme un geôlier méfiant qui s'apprête à tout rapporter à son supérieur. Sally était certaine que le moindre de ses faits et gestes était par ses soins fidèlement transmis à Althea.

Après l'étrange soirée à la Salle Chantilly, elle avait à peine aperçu Mike. Elle appréhendait beaucoup au début de le rencontrer, l'imaginant aussi embarrassé qu'elle de ce qui s'était passé. Elle n'aimait pas qu'on humiliât quelqu'un devant elle et même elle s'en voulait de le considérer à présent avec un certain mépris. Mais apparemment elle avait surestimé son sens de la dignité et sousestimé sa faculté de rebondissement. La première fois qu'ils se croisèrent après cet épisode il la salua en ces termes: «Salut ma toute belle!»

Elle répondit par un cordial «Comment va?» mais en détournant le regard. Il bavarda pendant quelques minutes comme si de rien n'était et elle se sentit prise entre deux sentiments contradictoires: le soulagement et un mépris pour lui encore plus affirmé. Il ne fit allusion ni à la soirée ratée ni à la présence d'Hawker et elle comprit qu'il était aussi désireux d'ignorer ce qui avait pu se passer entre eux qu'elle de l'oublier.

Ensuite elle ne le vit plus qu'en passant, il ne tenta plus de l'appeler chez elle. Elle s'était attendue à quelques explications, à des excuses pour son attitude peu courtoise mais il n'en fournit aucune. Maintenant elle se réjouissait qu'il cherchât à l'éviter. La chaleur suffocante de l'été avait cédé la place au froid vif de l'automne. En descendant à pas rapides Park Avenue en direction du Waldorf, Sally savourait la transparence de l'air dont on jouit rarement à Manhattan. Elle se rappelait non sans nostalgie comme on était bien à cette saison à Glenbrook, comme la fraîcheur était revigorante, comme la campagne était belle et sentait bon! Elle téléphonait fréquemment à son oncle et à sa tante mais n'avait pas encore le temps d'aller les voir. Elle se réjouit à l'idée qu'elle irait chez eux pour le Thanksgiving Day* puisqu'on lui avait promis quelques jours de vacances à cette occasion.

A huit heures précises elle pénétra dans le hall du Waldorf mais Althea la fit attendre comme à son habitude. Sally se réfugia dans un coin tranquille d'où elle assista d'un oeil distrait au défilé des mannequins. Une demi-heure au

* Thanksgiving day: Jour d'action de grâce.

moins s'écoula avant qu'Althea n'émergeât d'un des salons de réception. En public elle avait toujours à son égard une attitude vaguement condescendante comme si elle avait failli l'oublier tant son rôle était mineur. En général elle était escortée par un essaim d'amis qui feignaient de regarder toutes choses d'un oeil blasé et morne. Au grand déplaisir d'Althea, Sally n'était en rien impressionnée par le comportement de cette clique et conservait une parfaite aisance en leur présence. Pendant qu'elle écoutait patiemment des recommandations inutiles, elle entendit une voix au timbre agréable qui disait: «Mais n'est-ce pas Miss Spencer?» Pivotant sur ses talons elle se trouva tout à coup nez à nez avec Michelle Campbell-Jones. Cette dernière lui fit un délicieux sourire tandis qu'elle lui serrait la main.

— Je suis ravie de vous revoir, comment les choses se sont passées pour vous? demanda-t-elle de sa voix si distinguée.

— Très bien mais c'est plutôt à vous qu'il faut le demander.

— Eh bien... commença la jeune femme qui s'interrompit en s'apercevant pour la première fois de la présence d'Althea. Celle-ci était restée plantée à la même place, regardant avec ahurissement Sally et son interlocutrice, stupéfaite qu'elles eussent l'air toutes les deux de se connaître si bien. Etant une terrible snob, elle regardait Miss Campbell-Jones qui n'appartenait à son milieu ni par la condition sociale ni par la fortune avec la déférence qui lui était due.

Ces rapports aisés entre Sally et la riche héritière la déconcertaient.

— Miss Beecham, nous avons à nous parler en privé, ne nous en veuillez pas, déclara-t-elle comme si elle la congédiait et elle entraîna Sally plus loin.

— Ne me dites pas que c'est avec elle que vous travaillez! dit-elle en lançant un regard réprobateur en direction d'Althea.

— Si, je travaille avec elle mais ce serait une trop longue histoire à raconter, je préfère que vous me disiez comment les choses ont tourné pour vous.

Miss Campbell chuchota, la mine radieuse: «Tout va très, très bien! Le divorce va être prononcé, rien n'a transpiré dans les journaux grâce à vous. Marc fera une annonce très simple, le moment venu. Naturellement, vous serez la première avertie, je… c'est-à-dire nous vous sommes si reconnaissants.»

Elles bavardèrent encore quelques instants et la conversation roula sur ce qui était arrivé à Sally. La jeune femme fut consternée d'apprendre le châtiment qu'elle avait encouru pour avoir voulu protéger leur secret. «C'est terrible, répétait-elle, je suis désolée que nous soyons responsables de vos ennuis professionnels» et elle lança à nouveau un regard irrité en direction d'Althea.

Sally la rassura: «Ne vous tracassez pas pour moi, je vous en prie, un bon sujet de reportage et je suis sauvée, je rentrerai dans les bonnes grâces de mon patron.»

— Je vais voir ce que je peux faire pour

cela, promit Michelle d'un air songeur et, quand elles se quittèrent, elle avait encore l'air préoccupé.

Althea ne perdit pas de temps, elle se précipita vers Sally et déclara d'une voix où perçait l'envie: «Vous avez vraiment le chic pour vous faire remarquer des gens en vue!»

— Et aussi des autres, rectifia la jeune fille à mi-voix.

Ce commentaire échappa à Althea qui demanda, incapable de cacher sa curiosité: «Il y a longtemps que vous êtes amie avec Michelle Campbell-Jones?»

— Non pas très, répondit Sally restant dans le vague pour ennuyer sa collègue.

Elle n'avait pas envie de satisfaire son indiscrète curiosité, tant pis si elle passait toute la nuit à s'interroger sur ces hautes relations!

Althea haussa les épaules, mécontente, et la congédia sans ajouter un mot. Sally, ravie d'en être quitte, sortit rapidement et décida de rentrer à pied au Globe. Ses horaires de travail irréguliers ne lui donnaient guère l'occasion de sortir le soir; elle était obligée d'obéir au doigt et à l'oeil aux moindres injonctions d'Althea et ne pouvait jamais prévoir ce que cette dernière allait lui demander la minute d'après. De toute façon, elle ne désirait voir personne pour le moment. Depuis l'incident du dîner au restaurant, elle se sentait étrangement déprimée et préférait rester seule la plupart du temps à ruminer ses pensées moroses.

Quand elle avait des loisirs, elle flânait seule dans Manhattan, visitait les musées, les expositions, allait au concert ou se contentait de marcher dans les rues animées de cette cité la plus vivante du monde. Par de chaudes soirées, elle prit plusieurs fois le Staten Island* ferry pour un voyage circulaire tant elle aimait la vue de Manhattan qu'il offrait. De temps en temps elle dînait en compagnie de Cathy et de Margaret. Quand leurs tâches d'infirmières le leur permettaient, elles l'emmenaient voir un film mais cela n'arrivait pas souvent car, elles aussi, avaient des heures de travail irrégulières.

Ce soir-là, après être entrée chez elle, besogne achevée, elle arpenta son studio nerveusement. Elle chercha des yeux la tache sur le tapis, à présent presque invisible, qui lui rappelait l'épisode du café renversé. Elle ne pouvait s'empêcher de la regarder sans cesse et cela ne manquait pas d'éveiller en elle des sentiments contradictoires. Avait-elle rêvé ou était-ce bien Rafe Hawker qui s'était assis là et avait écouté avec une telle attention ses récits sur sa famille et son enfance? L'avait-il vraiment caressée de ses mains vigoureuses et fines? ses lèvres bien dessinées lui avaient-elles vraiment effleuré la nuque? Elle hochait la tête incapable d'attribuer des gestes d'une telle tendresse à ce Rafe Hawker, capable de gâcher sa soirée avec Mike par un comportement d'une insupportable arrogance dont ensuite il avait l'aplomb de se déclarer satisfait, et qui, en outre, l'avait punie d'une prétendue faute professionnelle en la mettant délibérément sous les ordres de sa petite amie — pour amuser sans doute celle-ci — et la

* Staten Island: Ile située entre New Jersey et Long Island.

contraignait ainsi à accomplir des tâches mesquines et ridicules.

Comme toujours la pensée d'Althea avait le don de la faire bouillonner de colère. Elle ne les avait pas vus ensemble depuis le soir de la première; elle n'avait plus rencontré Hawker depuis le fameux dîner au restaurant. Elle savait pertinemment que jamais plus Althea ne la ferait venir à une réception où elle risquât de tomber sur son patron. Elle n'arrivait pas à concevoir ce qui, dans Althea, pouvait plaire à un être aussi difficile... Mais le fait est qu'elle lui plaisait, alors... Althea devait sûrement montrer à son compagnon un aspect de sa personnalité qu'elle, Sally, ne connaissait pas; sans doute lui cachait-elle son mauvais caractère et son avidité. Mais un homme de sa pénétration psychologique ne pouvait être dupe de cette comédie qu'elle lui jouait. Peut-être, songea Sally affligée, fait-il partie de ces hommes dont la vanité se satisfait d'être vus en compagnie d'une belle créature... Il fallait bien s'incliner devant les faits: tout ce qu'elle avait vu et entendu contribuait à lui faire croire qu'ils se voyaient constamment. Tant mieux pour eux, conclut-elle pour la centième fois, bien résolue à s'en désintéresser.

— Mr Hawker vous demande au téléphone, Miss Beecham, croassa Miss Martin qui avait peine à sortir un son tant elle était excitée. Pour une fois Althea laissa tomber son masque d'ennui hautain et se précipita dans son bureau dont elle ferma la porte vivement. Et pour une fois aussi, Sally ne rit pas intérieurement de l'énervement de la secrétaire, elle avait trop mal. Elle resta assise derrière son bureau, essayant de se contrôler pour ne pas sortir en courant de la pièce. Vraiment, se dit-elle indignée, je ne sais plus où j'en suis! tantôt je suis furieuse en évoquant un de ses faits et gestes ou une de ses paroles et, à ce moment-là, je souhaite de tout mon coeur ne jamais plus le rencontrer de ma vie et, la seconde d'après, je me sens misérable parce qu'il téléphone à sa petite amie pour prendre rendez-vous! Si seulement je pouvais me retrouver dans la salle de rédaction avec un bon travail sérieux devant moi et hors de portée de toutes leurs histoires à eux deux…

Un petit moment après la porte s'ouvrit, livrant passage à une Althea souriant d'un air suffisant: «Ne vous croyez pas obligée de rester ici jusqu'à la fin de la journée. S'il y a quelque chose à faire, nous nous en occuperons, Miss Martin et moi. Vous pouvez rentrer quand vous voudrez.»

Sally ne put cacher sa surprise devant une magnanimité aussi inhabituelle: «Mais il n'est que trois heures», dit-elle en regardant sa montre. Même quand il n'y avait aucun travail et que le temps se traînait avec une lenteur désespérante, on ne pensait jamais à lui offrir de s'en aller.

«Aucune importance, dit Althea avec un geste d'impatience, cela ne rime à rien que vous restiez, partez.» La brusquerie de ce congédiement montrait à quel point elle désirait que la jeune fille s'en allât. Celle-ci haussa les épaules et se hâta de rassembler ses affaires. Il y avait peu de chance que ce fût un geste de générosité de la part d'Althea, elle avait sûrement un autre motif pour vouloir se débarrasser d'elle pour l'après-midi.

— Bon! Puisque c'est comme cela je m'en vais. A demain».

Elle eut l'impression qu'Althea poussait un soupir de soulagement. En allant prendre l'ascenseur, elle tomba sur Bill McIntire qui répondit à son bonjour par un haussement d'épaules découragé: «Je suis crevé! J'ai eu une de ces journées...» Impulsivement Sally proposa: «J'ai mon après-midi libre, laissez-moi vous offrir un petit verre pour vous requinquer.» Elle fut heureusement surprise de le voir accepter de grand coeur son invitation. «La meilleure récréation d'aujourd'hui, dit-il avec un grand sourire. Pour une fois que je suis enchanté de quitter la boutique!»

Sally attendit le temps qu'il prît son manteau et son porte documents puis ils se dirigèrent vers un bar tout proche, le Headliner. Même en plein après-midi l'endroit était bondé de journalistes du Globe. Parmi eux, se trouvait Mike Costello, ce qui ne fit guère plaisir à Sally quand elle s'en aperçut. Elle répondit à son bruyant salut par un geste de la main et lui tourna délibérément le dos en s'asseyant sur un haut tabouret à côté de Bill McIntire. Elle venait rarement ici mais chaque fois avec plaisir car elle appréciait l'atmosphère et les discussions avec ses collègues. Bill et elle se mirent à converser cordialement; elle lui raconta ses débuts au Patriote, ses rapports avec Cornelius Smith et lui, à son tour, lui parla du début de sa carrière. Il avait commencé à travailler au Patriote bien avant que Rafe Hawker ne l'achetât, aussi avait-il assisté à bien des changements. Il avait une admiration sans réserve pour lui. Il appréciait, confia-t-il à son interlocutrice, sa rapidité de compréhension pour tout ce qui concernait les journaux et son talent incomparable pour les faire vendre.

Détendu grâce à la compagnie de Sally et à deux whiskys, il parla avec un entrain inhabituel de quelques-uns des exploits de Hawker dont il avait été témoin. Il en parlait avec d'autant plus d'admiration qu'ils étaient d'une témérité qui dépassait les bornes. Journaliste jusqu'au fond de l'âme, jusqu'au bout des ongles, il jugeait le propriétaire du Globe sur un plan strictement professionnel. Il convenait que sur le plan personnel Hawker demeurait un personnage mystérieux, même pour lui, un de ses plus proches collaborateurs, qui avait travaillé coude à coude avec le patron pour arracher le Globe à la faillite.

— On n'approche jamais qu'à une certaine distance… pas plus près, constatait-il en hochant la tête d'un air rêveur. On dirait qu'il a dressé une barrière autour de son être secret, intime; une barrière qu'à ma connaissance jamais personne n'a pu franchir. D'après le peu que je connais de lui, c'est afin de se protéger. Je sais qu'il a traversé de rudes épreuves avant d'atteindre les sommets où il plane aujourd'hui.

Sally buvait ses paroles, fascinée, avide d'en savoir davantage sur l'homme qui occupait si constamment ses pensées. Tout ce que lui contait

Bill McIntire, habituellement si réservé, l'intéressait prodigieusement et ils étaient tous deux
profondément absorbés par leur conversation
quand une voix importune résonna à leurs
oreilles: «Vous me chipez ma petite amie, McIntire?» dit Mike Costello d'une voix tonitruante.
Sally nota avec appréhension qu'il semblait
complètement saoûl. Il était d'ailleurs fort porté
sur la bouteille sauf en sa compagnie où il se surveillait. Il avait la face cramoisie et la voix
pâteuse. Sally tiqua au terme de «petite amie» et
Bill McIntire se figea. Il articula avec enthousiasme un bref «Salut Costello». Il avait son franc-
parler et ne cachait pas qu'il n'avait pas de
temps à perdre avec le journaliste, spécialisé
dans les faits et gestes des stars, qu'il considérait
un peu comme une prima donna.

   — Sal, j'ai à vous parler, dit Mike en titubant.

   Bill McIntire vida son verre rapidement et
prit ses affaires: «Il faut que je file, à bientôt
dans la salle de rédaction, j'espère.» Il lui fit un
clin d'oeil tandis qu'il adressait à Mike un signe
de tête glacial puis s'esquiva.

   La jeune fille était très contrariée d'avoir
été interrompue au milieu d'une conversation
qui la passionnait, de plus elle n'avait aucune
envie d'entendre ce qu'il avait à lui dire. Elle fit
mine de s'en aller mais il la retint en lui posant la
main sur l'épaule. Elle feignit la résignation:
«Alors qu'avez-vous donc de si pressé à me
dire?»

   — Vous le savez bien.

Sa voix était suppliante et son regard mélancolique.

— Je n'ai ni le temps ni l'envie de jouer aux devinettes ou aux rébus, déclara-t-elle agacée, venez-en au fait, je vous prie.

— Vous m'avez fui comme la peste, tous ces temps-ci, je veux savoir pourquoi.

Sally lui jeta un regard incrédule, elle n'aurait jamais pu penser qu'on eût un épiderme aussi épais!

Il papillota des paupières d'un air embarrassé: «Si c'est à cause de notre fameuse soirée... vous ne pouvez guère me rendre responsable de ce qui s'est passé», et il eut un petit rire niais. Sally le dévisagea pendant un long moment, il en fut visiblement gêné. Puis elle dit: «Je ne vous blâme pas», et tourna les talons. Immédiatement Mike fut sur la défensive: «Que fallait-il que je fasse, vous savez bien que c'était en partie de votre faute. Vous passez votre temps à affirmer qu'il n'y a rien entre vous et Hawker, vous avez bien vu comme il était jaloux ce soir-là. Moi j'étais pris entre vous deux.»

Il eut un rire forcé mais quand il vit que Sally continuait à lui tourner le dos, il prit une voix gémissante: «Que vouliez-vous que je fasse? Vous ne vous attendiez tout de même pas à me voir faire une scène? J'ai pris le parti qui s'impose quand on a une certaine éducation et je suis parti discrètement.»

Il parlait de plus en plus fort et sa voix commençait à dominer le brouhaha des conversations. Sally remarqua que les gens avaient fait silence autour d'eux et que chacun prêtait l'oreille. Elle leva brusquement les yeux et s'aperçut que ce n'était pas Mike qui était leur point de mire: tous les yeux étaient fixés dans la direction opposée, vers Rafe Hawker qui approchait. L'arrivée du patron avait causé une certaine stupeur car c'était la première fois qu'il mettait les pieds dans cet endroit où ses collaborateurs et subordonnés passaient le plus clair de leur temps libre. Ceux qui eussent dû être à cet instant penchés sur leurs machines à écrire se firent tout petits et essayèrent de filer à l'anglaise mais de toute façon Hawker ne regarda personne et se dirigea droit sur Sally.

— On m'avait dit que je vous trouverais ici, c'est un peu tôt dans la journée pour se mettre à boire, non?

Il parlait à voix basse pour qu'elle seule pût l'entendre mais elle perçut le mordant de la remarque.

Le murmure des conversations reprit. Personne ne voulait avoir l'air de prêter attention à cet événement insolite. La stupeur de Sally céda la place en une seconde à la colère devant cette attaque injustifiée. Quant à Mike Costello, il resta planté à la même place à côté d'elle, complètement ignoré de Hawker qui ne lui jeta pas le moindre regard.

— Vous passez l'inspection, monsieur, demanda-t-elle sèchement, les mâchoires contractées.

— Mais oui, c'est assez normal de ma part, pendant les heures de travail, ne trouvez-vous pas?

Il ajouta d'une voix coupante et sarcastique: «En tout cas vous tenez mieux la boisson que votre petit ami.»

Si Sally avait suivi sa première impulsion, elle serait sortie en trombe mais l'expression menaçante de Hawker lui fit comprendre en un éclair qu'elle ne pourrait s'en tirer aussi facilement. Elle ferma les yeux, l'espace d'une seconde, pour se reprendre en main. Quand elle les rouvrit, elle vit avec soulagement que quelqu'un avait eu l'heureuse idée d'emmener le titubant Mike. Ils demeurèrent donc seuls face à face, telles des statues de pierre.

— Alors? questionna-t-il d'une voix rude.

— Alors rien! répliqua Sally d'une voix tremblante de colère. Si vous attendez une explication, vous en serez pour vos frais. Vous avez la manie d'accuser avant même de poser une question. Les gens les regardaient en déguisant mal leur curiosité mais elle ne prêtait attention qu'à la fureur qu'elle sentait bouillonner en elle et qui avait besoin de s'exprimer.

— Puisque tel est votre désir, je passe aux aveux complets — elle était sous l'emprise d'une colère froide, son visage était blême et crispé comme un masque de tragédie et ses poings fermés blanchissaient aux jointures — oui, je passe tout mon temps ici, même pendant les heures de travail et je bois comme un trou!

Malgré une lueur dangereuse qui brillait dans les prunelles de Hawker, elle poursuivit sur sa lancée: «Au Globe je suis la spécialiste de la soulographie. Parfois j'attends à la porte du bar l'heure d'ouverture et presque toujours on est obligé de me flanquer dehors bien après l'heure de fermeture. Vous m'avez prise sur le fait, Mr Hawker, qu'attendez-vous pour me mettre pour la seconde fois à la porte du journal?»

Elle fit mine de se lever mais elle vit à l'expression du jeune homme qu'il n'était pas encore prêt à la laisser partir.

— Une seconde encore, je vous prie, dit-il d'une voix calme mais sans réplique. Pourquoi vous mettre dans des états pareils? Je descends à votre bureau pour m'entendre dire que vous avez disparu pour l'après-midi entier, personne n'a pu me dire où. Ensuite on m'a informé que vous deviez être dans votre bar favori et immédiatement je vous y trouve, une fois de plus en compagnie de ce type suffisant et complètement saoûl par dessus le marché, Mr Mike Costello pour ne pas le nommer, et vous m'accusez de juger trop vite?

Cette traîtrise d'Althea fit affluer le sang aux joues de la jeune fille. Voilà donc l'explication de son manège: elle savait que le patron allait venir, il avait dû la prévenir par ce coup de téléphone, et elle n'avait plus eu qu'une idée, faire partir Sally. Mais un mensonge aussi flagrant, lui dire qu'elle avait disparu sans donner d'explication, équivalait à une véritable déclaration de guerre de la part d'Althea!

— Je ne pense pas que votre «informatrice» — et elle insista sur le mot — vous a expliqué qu'elle m'avait donné mon après-midi? En fait elle m'a littéralement mise à la porte du bureau...

Le regard de Hawker s'éclaira comme s'il venait de comprendre quelque chose, néanmoins ce fut d'une voix aussi glacée qu'il lança: «C'est ainsi que vous avez choisi d'occuper votre congé?»

Sally savait bien qu'elle aurait pu lui expliquer qu'elle venait fort rarement dans ce bar et qu'elle avait fait une exception pour pouvoir tenir compagnie à Bill McIntire. Mais elle ne voulait pour rien au monde avoir l'air de se justifier aux yeux du patron... Qu'il aille imaginer ce qu'il voudra. Cela n'expliquait pas pourquoi il s'était mis en quête d'elle. Il avait l'air si buté, si fermé, qu'elle ne pouvait deviner. Elle songea avec exaspération: pour quelqu'un qui aime bien passer inaperçu, c'est réussi! D'abord Costello qui avait attiré l'attention sur eux par ses éclats de voix et maintenant la visite du patron qu'elle n'avait certes pas souhaitée! Elle murmura à la hâte: «Je voudrais m'en aller.»

Il acquiesça: «Je crois qu'il en est temps.»

Une fois dans la rue, Sally se demanda si le moment était venu pour lui d'expliquer les raisons de sa venue mais elle ne cherchait pas à le regarder, au contraire elle gardait la tête obstinément tournée du côté opposé.

Il dut deviner à quoi elle pensait car il dit d'une voix coupante: «Il y avait *quelque chose* dont je désirais vous entretenir mais cela n'a plus d'importance maintenant.»

Malgré tout ce qui venait de se passer, elle sentit un profond désappointement et un vif mouvement de curiosité. Elle fut même tentée un instant de s'expliquer mais la vision de ce visage de bois l'en dissuada. Il avait pris sa décision en ce qui la concernait, une fois de plus sans lui donner le bénéfice du doute, il n'y aurait pas moyen de le faire revenir dessus. En dépit de la colère qui faisait rage en elle, Sally était blessée au plus profond par l'attitude glacée de Hawker vis-à-vis d'elle. Elle ne l'avait pas revu depuis un mois et, pendant ce temps, au souvenir de ce qui s'était passé, elle s'était permis de rêver un peu... de se raconter de belles histoires comme une adolescente sentimentale; à présent, sous son regard si indifférent, les beaux châteaux en Espagne gisaient en mille morceaux.

Effrayée à l'idée qu'il pût lire dans ses pensées, comme il semblait en posséder le mystérieux pouvoir, elle se dépêcha de lui dire adieu et le quitta brusquement. Lui avait-il dit au revoir ou non, elle n'en savait rien, toujours est-il qu'il ne chercha pas à la retenir ni à la suivre. Ce ne fut que lorsqu'elle se fût réfugiée dans son appartement, la porte close, qu'elle se permit de réfléchir à ce qui venait de se passer. Comme après chacune de leurs entrevues, ses émotions étaient diverses et contradictoires, elle ne savait plus où elle en était. D'ailleurs cet état de confusion mentale dans lequel il la jetait était le plus gros grief qu'elle avait contre lui. Si elle avait été capable une fois pour toutes de le définir comme un personnage dur, arrogant, presque sadique, elle se le serait tenu pour dit et se serait protégée en conséquence, donc elle n'aurait plus été vulnérable à ses attaques. Mais quand ses yeux habituellement d'une dureté de granit s'adoucissaient ou que sa voix devenait moins tranchante, elle était tout de suite désarmée, impuissante à analyser les contradictions de sa nature.

Jamais le coeur de Sally n'avait éprouvé pareils orages. Bien sûr elle avait connu des déceptions sentimentales mais de courte durée et elle s'était toujours félicitée de son bon sens qui lui permettait de retrouver rapidement son équilibre. Au-dessus de son lit, à Glenbrook elle avait épinglé sa devise favorite: «Fais jeûner ton imagination et entretiens ta volonté». Elle avait assimilé cette maxime qui l'avait aidée à éviter maintes expériences malheureuses. Elle aurait dû emporter à New York le panneau sur lequel elle l'avait écrite de sa plus belle écriture et le mettre à la place d'honneur. Si elle n'avait pas laissé libre cours à sa folle imagination, elle n'aurait pas à rougir de sa faiblesse actuelle, de cette incapacité à contrôler ses émotions. Quels inconcevables changements s'étaient opérés en elle depuis son départ de la maison natale! Se pouvait-il que si peu de temps se fût écoulé depuis lors?

Cette évocation du nid familial la remplit de nostalgie, elle avait un si profond besoin du réconfort de cette affection chaude, simple, sans détours! Elle prit l'appareil et appela Tante Emilie.

Ce fut une Sally bien lasse qui, le lendemain, rentra au logis, envoya promener ses chaussures sans les délacer et s'affala sur son lit, au creux de l'alcôve. Elle ferma les yeux et sentit dans tout son corps le poids de sa fatigue. Quelle journée! En dépit de sa résolution de rester calme, elle n'avait pu éviter une altercation avec Althea. Dès que celle-ci eut pénétré dans son propre bureau, Sally la suivit, claquant la porte derrière elle. Contenant avec peine son courroux, elle lui avait amèrement reproché sa traîtrise de la veille et l'avait accusée de mensonge délibéré en vue de lui nuire auprès de Rafe Hawker. En quelques mots bien sentis, elle lui avait dit son fait... ce qu'elle pensait de son caractère etc. Elle avait laissé libre cours à tout le mécontentement qui s'était accumulé au cours de ces deux mois de travail en commun.

A en juger par l'expression bouleversée d'Althea, il était clair que jamais personne ne lui avait parlé ainsi. Elle écouta, les yeux presque clos, et ce fut qu'au bout d'un moment qu'elle parvint à balbutier: «Comment osez-vous me parler ainsi? Avez-vous oublié à qui vous parlez, quelle situation j'occupe dans ce journal et *qui* je suis?

— Non, Althea, j'en ai parfaitement conscience hélas!

Et Sally poursuivit d'une voix qu'elle s'efforçait de garder calme: «Vous êtes sans doute la créature la plus tortueuse, arrogante et désagréable avec qui il m'ait été donné de collaborer... pour mon grand malheur!»

Les yeux bleus d'Althea se dilatèrent sous le choc de ces paroles et elle s'écria: «Gardez vos distances, je vous prie, ces propos sont intolérables!»

— Je crois, Althea, que vous exagérez beaucoup votre importance, vous croyez que votre rang dans la société vous permet de dire n'importe quel mensonge sans avoir à en supporter les conséquences. J'ai obéi sans rechigner à vos quatre cents volontés jusqu'à ce jour mais je vous préviens, je ne supporterai pas vos mensonges. Feignant d'ignorer les exclamations outragées, elle se dirigea vers la porte et, la main sur la poignée, elle lança: «Peut-être, aimerez-vous savoir qu'en essayant de me nuire hier vous vous êtes vous-même mise dans un mauvais pas car j'ai eu l'occasion de tirer les choses au clair avec Mr Hawker. Maintenant il doit vous voir telle que vous êtes, une femme qui ne dit pas la vérité!»

Tout en essayant de détendre ses membres las, Sally réalisa avec angoisse que désormais sa position au service des «mondanités» serait intenable. Ce n'avait été à peu près tolérable que tant qu'elle avait supporté toutes les avanies dues au caractère de cette créature. Maintenant qu'elle lui avait lancé toutes ses vérités à la tête, elle ne pourrait rester. Il y avait peu de chance qu'Althea osât se plaindre à Hawker puisqu'il était au *courant* de son mensonge mais elle n'aurait pas de peine à trouver un moyen de se débarrasser d'elle, Sally lui faisait confiance sur ce point!

La sonnerie du téléphone vint interrompre ces ruminations, elle le laissa sonner un moment, tentée de ne pas répondre mais comme ce pouvait être quelqu'un de sa famille, elle se décida à décrocher.

— Allo, Miss Spencer, demanda une voix.

Sally la reconnut aussitôt et eut un heureux pressentiment.

— Ah! Miss Campbell-Jones, comment allez-vous?

— Je suis si heureuse d'avoir pu vous joindre chez vous, répondit la douce voix avec une nuance de soulagement, j'ai essayé de vous appeler au bureau mais vous étiez absente presque tout l'après-midi. Elle ajouta d'un ton excité: «Je... c'est à dire *nous* pensons que nous avons un bon sujet d'article pour vous!

Sally sentit toute sa fatigue s'envoler sur le champ et sa vivacité coutumière reprit le dessus. Elle se força à demander calmement: «Quelle bonne nouvelle! Cela ne pouvait pas tomber plus à pic! Racontez-moi et je m'y mets immédiatement.»

La jeune femme eut un petit rire embarrassé: «Je ne peux pas vous le dire par téléphone mais si vous pouvez venir nous retrouver Marc et moi dans une demi-heure environ, vous verrez que cela vaut le déplacement. Surtout venez seule, ajouta-t-elle l'air soucieux, il n'y a que vous qui serez au courant.» Sally nota l'adresse, une rue très chic de East Side et fila se préparer. Elle avait juste le temps de prendre une douche rapide pour effacer toute trace de la fatigue de la journée; la bonne nouvelle en ce domaine avait déjà fait merveille. Rafraîchie et sèche en cinq minutes, elle décida de se changer. La jupe et le chemisier qu'elle avait portés dans la journée ne lui paraissaient dignes ni du quartier chic ni de l'heure tardive aussi enfila-t-elle une robe en jersey de soie marron qu'elle jugeait simple et élégante. Elle mit son collier ancien composé d'un seul rang de perles. Un soupçon de parfum derrière les oreilles et de rose sur les joues; un coup de brosse et la voilà prête. Elle dévala l'escalier quatre à quatre, héla un taxi et, pendant le trajet, eut tout loisir pour s'interroger sur les mystérieuses raisons du coup de téléphone Campbell-Jones.

La jeune femme avait promis un bon sujet d'article et Sally n'avait pas de peine à y croire, sachant que la riche héritière ne faisait jamais parler d'elle dans la presse et que tout article sur elle serait des mieux accueillis au Globe. Ou bien s'agissait-il d'un interview exclusif de Marc Whitfield, à Washington, ce qui serait également fort bien vu au journal. Sally était très excitée à ces perspectives et elle avait peine à attendre que la courte distance fût franchie. La conviction qu'elle touchait à la fin de son exil, que bientôt grâce aux Campbell-Jones, elle pourrait réintégrer, la tête haute, la salle de rédaction, lui donnait des ailes... tout son être était en effervescence.

Le taxi la déposa devant un ravissant hôtel particulier, tout près de Sutton Place. On était déjà entre chien et loup et Sally entrevit, derrière les lourds rideaux foncés qui drapaient les fenêtres, de grands lustres allumés. Une femme de chambre en tenue lui ouvrit la porte et, après lui avoir poliment demandé son nom, elle l'introduisit dans un vaste salon qui donnait sur le hall d'entrée. Dès qu'elle aperçut le petit groupe de gens qui attendaient son arrivée, elle se félicita d'avoir pensé à se changer. Trois messieurs fort distingués et une femme merveilleusement arrangée se tenaient debout près d'une cheminée en marbre sculpté, un verre à la main. Marc Whitfield vint à sa rencontre, les mains tendues, avec un sourire cordial: «Je suis si heureux de vous revoir, Miss Spencer, j'espère que nous allons enfin pouvoir vous montrer notre immense gratitude pour votre attitude si compréhensive et courageuse.»

Avant qu'elle eût pu poser la moindre question, il la présenta à la ronde. La femme si bien arrangée et un des messieurs étaient ses hôtes; c'est à eux qu'appartenait l'hôtel particulier, ils étaient des amis de longue date du sénateur. Un autre, plus âgé, était un juge dont elle avait déjà entendu parler. Tous lui témoignèrent une amicale politesse mais elle en était encore à se demander pourquoi elle se trouvait dans ce cercle quand Michelle Campbell-Jones entra dans la pièce.

Il y eut un murmure d'admiration à son arrivée et Marc Whitfield jeta un regard d'adoration sur cette ravissante créature; Sally, quant à elle, n'avait jamais vu de femme plus belle. L'héritière s'approcha d'elle avec une sorte de timidité. Elle était vêtue d'une robe longue en dentelles crème dont les plis retombaient souplement le long de son corps svelte. Sa chevelure aile de corbeau, coiffée très simplement, lui tombait sur les épaules; elle était couronnée de roses blanches et de gardénias et tenait à la main un petit bouquet composé des mêmes fleurs; point de bijoux à l'exception de sa bague de fiançailles: un diamant qui étincelait à son doigt.

Son regard croisa celui de Sally, les beaux yeux sombres brillaient de joie. La jeune journaliste devina aussitôt quel serait le sujet de son reportage et elle sourit joyeusement à la jeune mariée.

— C'est grâce à vous Sally que nous pouvons nous marier sans le chaos et l'agitation hystérique qui nous auraient tout gâché si vous aviez parlé de notre secret dans votre reportage, expliqua Marc avec empressement. Michelle m'a dit qu'il vous en avait cuit à cause de votre geste méritoire aussi avons-nous décidé de vous inviter à notre mariage pour réparer les ennuis professionnels dont nous étions indirectement responsables. Nous avions eu l'intention de garder le secret jusqu'après la cérémonie. Seuls nos amis ici présents y auraient assisté mais comme dit Michelle, nous vous comptons aussi parmi nos amis.

La jeune mariée ajouta: «Nos familles ne sont même pas au courant, vous voyez que vous aurez vraiment l'exclusivité!»

Au spectacle de leur indéniable bonheur, Sally se dit que cela valait la peine d'avoir affronté toutes ces épreuves, toute cette misère des mois passés. Ce fut le juge qui les maria au cours d'une cérémonie brève, dans une atmosphère pleine d'amitié. La jeune fille oublia complètement qu'elle avait là une véritable aubaine journalistique pour ne plus penser qu'à partager la joie de ces deux êtres éperdument épris. Au moment présent, peu importait qu'ils fussent également riches et célèbres. Elle apprécia beaucoup la simplicité et la dignité qui présidaient à ce mariage et dont hélas bien des cérémonies plus mondaines manquent totalement. Les serments furent échangés, on porta des toasts puis la maîtresse de maison invita ses hôtes à la suivre dans la salle à manger où la table était dressée; elle tint absolument à ce que Sally partageât leur repas de fête, la mariée insista beaucoup de son côté. «Sinon, à qui jetterai-je mon bouquet» dit-elle malicieusement.

Pendant le dîner, la conversation fut animée et l'on effleura un grand nombre de sujets. Sally qui, une heure avant, ne connaissait pas trois des convives et n'avait rencontré les deux autres que fort brièvement, se sentait parfaitement à son aise. La seule question qui troubla un peu son euphorie fut celle posée par le juge, son voisin de table: «A quoi ressemble ce diable de Rafe Hawker?»

— Je ne sais pas, confessa-t-elle, je pense que personne ne peut le dire avec certitude.

Tous les convives semblaient fascinés par le personnage et posèrent maintes questions. La maîtresse de maison demanda: «Vous l'avez déjà rencontré? Est-il aussi séduisant que sur les photos?»

— Oui, je l'ai vu et il est... remarquablement beau, répondit-elle en rougissant légèrement tandis que certains souvenirs remontaient traîtreusement à la surface de sa mémoire. Mais on peut le voir et même collaborer étroitement avec lui sans pour autant le connaître. La conversation porta encore un moment sur lui et Sally, bizarrement, éprouva le besoin de le défendre chaque fois qu'on en venait à le critiquer.

Après le repas, l'hôte prit des photos du jeune couple. Marc et Michelle s'apprêtaient à prendre un avion privé pour rejoindre l'endroit où ils devaient passer leur voyage de noces mais Sally était trop discrète pour s'informer de leur destination. Il lui suffisait d'avoir l'exclusivité du récit de ce mariage secret, il ne fallait surtout pas qu'ils eussent les journalistes à leurs trousses pendant leur lune de miel. Après un dernier verre en leur compagnie, elle remercia ses hôtes, serra la main du juge qui semblait avoir un petit faible pour elle, et prit congé des jeunes mariés en leur exprimant ses voeux les plus chaleureux ainsi que sa gratitude pour le reportage permis. La mariée l'accompagna jusqu'à la porte et Sally dit un cordial «Au revoir Miss Cam... Oh pardon! c'est Mrs Whitfield qu'il faut dire maintenant.»

— Oui mais je préfèrerais de beaucoup que vous m'appeliez Michelle, voulez-vous?

Elles se séparèrent comme deux vraies amies. En si peu de temps elles avaient perçu leurs affinités et se comprenaient à merveille. Sally avait déjà atteint la grille quand Michelle la rappela: «J'ai failli oublier, attendez-moi!» Elle disparut à l'intérieur de la maison et revint quelques minutes après: «Voilà!» dit-elle en lançant son bouquet que Sally attrapa adroitement. «N'oubliez pas de m'inviter quand ce sera votre tour!»

Pendant le trajet de retour au Globe, Sally resta le nez enfoui dans les fleurs odorantes. Leur parfum entêtant faisait naître en un coin secret de son coeur une sensation à la fois douloureuse et douce... Ce n'était pas le premier bouquet de mariée qu'on lui lançait ainsi. Quand ses amies de classe se furent mariées l'une après l'autre, une fois leurs études achevées, elles le lui avaient jeté avec de petites allusions amicales à son prochain mariage. Mais c'était la première fois qu'elle avait ressenti plus que de l'amusent à le recevoir. Pourquoi cette soudaine sentimentalié? Elle n'en connaissait pas la cause avec certitude mais elle la soupçonnait.

Quand elle aperçut la façade brillamment éclairée du Globe, toutes ses pensées se concentrèrent immédiatement sur un seul sujet: son reportage. Son coeur battit comme autrefois en descendant d'ascenseur au dixième étage et en se dirigeant vers la salle de rédaction au lieu d'obliquer vers le domaine d'Althea où elle avait passé de si tristes semaines. La plupart des journalistes étaient partis depuis longtemps et ne reviendraient qu'aux premières heures du matin au moment où le journal naît avec l'aube. Il y avait dans la salle quelques personnes de service la nuit qu'elle ne connaissait pas. Personne ne fit attention à elle quand elle s'assit à un bureau libre et saisit le téléphone. Elle demanda au standard de la mettre en communication avec le domicile de Bill McIntire.

Elle reconnut sa voix rude: «Allo».

— Mr McIntire, ici Sally Spencer, désolée de vous déranger chez vous mais j'ai une possibilité de reportage qui vous intéressera sûrement, en fait je viens d'assister au mariage de Michelle Campbell-Jones et de Marc Whitfield.

Il y eut un silence à l'autre bout du fil puis elle entendit la voix bourrue demander avec un tremblement d'excitation: «Y avait-il un autre reporter en piste?»

— Non, non, j'en ai l'exclusivité.

— Vous vous y mettez immédiatement et vous me prévenez dès que vous avez fini. En attendant donnez-moi le poste du rédacteur de nuit. C'était Bill McIntire tout craché: il ne se mettait pas en peine de savoir comment elle avait eu vent de la cérémonie ni de la féliciter d'avoir l'exclusivité. Son premier mouvement était toujours de coucher les événements sur le papier sans perdre une seconde.

Sally eut enfin conscience de l'excitation engendrée par la nouvelle quand elle vit arriver toutes les deux minutes le rédacteur des informations de nuit qui venait rôder anxieusement en jetant un oeil par dessus son épaule pour voir si elle avait bientôt fini. Elle tapait à toute allure; les mots lui venaient aisément; c'était un compte-rendu fidèle d'un événement mondain sensationnel, embelli, pour le compte des lecteurs et lectrices du journal amateurs de modes et décoration, par des détails abondants sur la toilette de la mariée, sa coiffure, ses fleurs, l'ameublement du salon où s'était célébrée la cérémonie etc. etc. Elle savait ne pas dépasser la mesure dans ce genre de récit et elle mit dans celui-ci juste ce qu'il fallait d'enthousiasme pour satisfaire ses patrons.

L'hôte de Michelle Campbell-Jones et de son mari avait confié une bobine du film qu'il avait pris. Les services photo et arts du journal travaillaient déjà dessus. L'article acheté, elle téléphona au rédacteur des nouvelles locales qui lui déclara: «On vient de me le lire au téléphone, ça a l'air excellent. Si New York n'est pas bombarbé cette nuit et si on n'essaie pas d'assassiner le Président, vous aurez demain les honneurs de la première page. Je pense qu'on va vous voir revenir chez nous», ajouta-t-il de son ton brusque mais la jeune fille crut y déceler une note de satisfaction.

Quand elle rentra au logis, ce soir-là, elle avait le coeur léger, ce qui ne lui était pas arrivé depuis longtemps. Enfin elle pouvait regarder l'avenir avec optimisme!

CHAPITRE VIII

«C'est pour vous,» annonça Miss Martin avec un reniflement qui manquait d'élégance et elle lui tendit l'appareil.

«Ici Eve Tarrant, dit une voix cordiale au bout du fil, venez vite, ma chère, Mr Hawker désire vous voir.»

Sally s'en voulut de sentir brusquement le coeur lui manquer en entendant son nom et, dans l'ascenseur, elle remarqua avec contrariété que ses mains tremblaient légèrement et qu'elle avait peine à avaler sa salive. Elle était presque sûre qu'elle devait cette convocation dans le bureau de son patron à son article paru en première page, la veille. Mais avec Rafe, on n'était jamais sûr de quoi que ce fût. Elle pouvait fort bien lui avoir déplu encore sans savoir en quoi... En tout cas, elle se tenait prête à toute éventualité. En sortant de l'ascenseur, elle prit une longue aspiration d'air frais dans le somptueux hall et se passa la main sur les cheveux d'un geste absolument machinal.

— Alors, ma chère, comment ça va? demanda cordialement Mrs Tarrant quand Sally eût été introduite dans son bureau par une des secrétaires. Cette façon simple et chaleureuse de l'accueillir lui fut d'un grand réconfort, elle se sentit toute regaillardie.

— Très bien, Mrs Tarrant, je vous remercie.

— Vous avez l'air en pleine forme, dit Eve Tarrant en jetant un regard admiratif sur la fine tête auréolée de boucles blondes et la svelte silhouette bien prise dans un ensemble de cachemire bleu bleuet. Un moment, je vous prie, je préviens Mr Hawker que vous êtes là.

Une fois de plus la jeune fille franchit la massive porte qui menait à son paisible et luxueux bureau. Il se tenait debout près d'une de ses bibliothèques, en train de feuilleter un livre, il dit sans lever la tête: «Asseyez-vous, Miss Spencer, je suis à vous dans un instant.» Sally obéit et choisit un siège à une certaine distance de son bureau directorial. Elle profita de cet instant pour regarder plus attentivement autour d'elle qu'elle n'en avait eu le loisir lors de sa première visite. Sans en avoir l'air et sans appréhension puisqu'il était absorbé dans son livre, elle se permit de l'observer fixement. Elle n'avait jamais eu la possibilité de le dévisager ainsi sans avoir à se défendre contre un de ses regards si déroutants. Elle nota le vaste front, les sourcils charbonneux abritant les yeux perçants, le nez fort et droit, la bouche mince et tendue. «Est-il aussi séduisant que sur les photos», avait demandé la maîtresse de maison l'autre soir. Oh oui! répondit-elle intérieurement, c'est vraiment l'homme le plus séduisant que j'ai jamais rencontré.

Du visage où régnait un calme contrôlé comme s'il avait imposé silence à toute émotion grâce à sa volonté d'airain, les yeux de Sally allèrent se poser sur les mains nerveuses et fortes, aux longs doigts effilés... ces doigts qui, un siècle auparavant, lui avaient doucement effleuré la nuque. Il était vêtu comme à l'accoutumée, de façon très classique et plutôt conservatrice. Elle ne pouvait l'imaginer portant un costume de couleur voyante ou de coupe extravagante. Ses costumes toujours impeccablement coupés, de même que son bureau sobrement décoré, d'un luxe discret, ne permettaient pas de déceler sa vraie personnalité.

D'un mouvement rapide, Hawker pivota sur lui-même et la regarda. On eût dit que deux puissants projecteurs se braquaient sur elle sans qu'elle eût le temps de se garer! Il avait dû s'apercevoir qu'elle le fixait subrepticement car il y avait dans ses yeux une lueur malicieuse. Il se carra sur son siège comme s'il se préparait à passer un bon moment et dit avec un sourire ironique: «Je vois Miss Spencer que vous avez choisi le fauteuil le plus éloigné, est-ce moi qui dois approcher le mien ou vous qui viendrez me rejoindre?»

— Je craignais que vous ne m'accusiez d'indiscrétion si j'étais venue m'asseoir à côté de vous, Monsieur, répliqua vivement Sally, allant prendre un siège plus proche du bureau. Elle était bien décidée à tenir contre vents et marées

164

cette fois-ci. S'il voulait entamer la conversation par un boutade sarcastique, soit!

— Non, vous n'avez pas regardé ce que je lisais, vous étiez bien trop occupée à me toiser, mine de rien, à l'abri de ces longs cils. Qu'avez-vous conclu de cet examen attentif?

Elle se contraignit à le regarder bien droit dans les yeux: «Rien de nouveau, cela n'a fait que confirmer mon diagnostic d'il y a quelque temps.»

— Tiens, tiens, vous aviez déjà daigné réfléchir à mon cas? Quel jugement aviez-vous porté?

Sally sentit monter en elle la panique: la conversation prenait un dangereux tournant, du moins pour elle.

— Je ne vous demande pas ce que vous pensez de moi et je ne vous dirai pas davantage quelle opinion j'ai de vous, répliqua-t-elle d'un ton un peu guindé.

— Cela vaut sans doute mieux, convint-il calmement puis il ajouta comme après mûre réflexion, je crois que je serais sorti perdant de ce débat!

Comme chaque fois, il s'arrangeait pour la prendre au dépourvu avec ses remarques déconcertantes. Embarrassée, elle n'avait qu'un désir: mettre fin à cet échange sans signification. Il ne l'avait pas fait venir uniquement pour cette joute oratoire.

— Vous vouliez me voir, Mr Hawker, puis-je savoir pour quelle raison? demanda-t-elle pompeusement.

— Ah oui! dit-il désinvolte. C'est, bien sûr,

à cause de l'article d'hier signé de vous. C'est vraiment un scoop pour vous et pour le journal. Je ne vous demande pas comment vous vous y êtes prise: c'est un des privilèges du reporter de garder secrètes ses sources d'information. Je suppose que vous avez hâte de vous retrouver dans la salle de rédaction?

— Oui, cela me plairait beaucoup, dit-elle en essayant de masquer l'extrême désir qu'elle en avait.

Il lui jeta un regard plein de malice: «Vous êtes sûre que vous ne ressentirez aucun regret de quitter les mondanités?»

— Tout à fait sûre, répondit-elle sans paraître remarquer son ton taquin.

Il fronça les sourcils, feignant la surprise et, hochant le chef.

— Moi qui croyais que vous auriez de la peine à quitter de si bonnes amies!

S'il avait envie de s'amuser à ses dépens, grand bien lui fasse mais elle ne mordrait certainement pas à l'appât aussi resta-t-elle de glace. Il était sûrement au courant de l'animosité qui régnait entre Althea et elle, raison de plus pour ne pas se laisser entraîner à discuter sur ce sujet. Mais elle ne pouvait s'empêcher de se demander quels ragots Althea avait pu colporter. Connaissant sa nature médisante, elle songea mélancoliquement qu'elle avait pu lui raconter les pires choses.

— Et que feriez-vous si je tenais à ce que vous restiez malgré tout adjointe de Miss Beecham?

Cette éventualité asséna un coup brutal à la

pauvre Sally qui riposta instantanément: «Je vous considèrerais comme un homme tout à fait injuste et je donnerais ma démission immédiatement.»

Ses yeux lançaient des flammes.

— Je m'explique pourquoi vous avez toujours un si joli teint, remarqua-t-il tout à fait hors de propos, vous passez votre temps à rougir d'indignation, de colère, ou bien vous piquez un fard comme une timide petite jeune fille.

Sally porta machinalement les mains à ses joues brûlantes et Hawker eut l'air prodigieusement amusé: «Quelle qu'en soit la raison cela vous va très bien... et ce doit être très bon pour la circulation». Une fois de plus elle était tombée dans le piège, elle s'était emportée à l'idée qu'il la forçât à rester avec Althea alors que ce n'était de sa part que simple taquinerie.

Il dut deviner ce qu'elle pensait car il la rassura: «Ne vous faites pas de souci, vous allez retrouver la place que vous méritez à la salle de rédaction des nouvelles locales. Je voulais savoir jusqu'où vous pouviez aller si on vous contrecarrait, maintenant je suis fixé».

Il riait gentiment mais elle n'en était pas contrariée. Son châtiment et son exil étaient terminés et elle avait été capable de les supporter sans un mot de plainte. Une fois de plus elle rentrait en possession du travail qu'elle aimait plus que tout, laissant loin derrière elle les besognes dégradantes et mortellement ennuyeuses de la chronique des mondanités et la personne d'Althea. Oui, par dessus tout, elle se réjouissait de ne plus la revoir. Elle pourrait ne plus penser qu'à son travail, elle chasserait de son esprit toutes les rêveries qui avaient miné sournoisement sa sérénité, sa joie de vivre.

Elle répondit par un simple «merci».

Pendant un long moment, Hawker resta la tête légèrement penchée fixant sans le voir un point sur son bureau, un pli creusant son front. Elle devina qu'il tournait et retournait une idée dans son esprit; elle imagina qu'il était sur le point de dire ou de demander quelque chose qui n'avait rien à voir avec le sujet de discussion. Tout à coup il leva les yeux brusquement et leurs regards se croisèrent. L'émotion fugitive était remplacée par l'expression habituelle, impénétrable. Visiblement il avait changé d'avis sur ce qu'il avait à dire et cela rappela à Sally qu'il avait eu déjà la même réaction quand ils étaient sortis du bar, l'autre après-midi. La même déception l'envahit.

Elle se leva pour prendre congé et il se leva également.

— A propos dit-il — le coeur de Sally battit — Avez-vous pensé à faire mettre un verrou supplémentaire à la porte de votre appartement? Cette marque de sollicitude la toucha mais l'effet en fut immédiatement annulé par la réflexion qui suivit: «Un autre petit conseil, Miss Spencer, si vous me le permettez: si vous avez envie de fêter votre retour à la salle de rédaction, ne choisissez pas comme compagnon Mike Costello!»

Percevant l'éclair de rancune dans les yeux de la jeune fille, il ajouta insolemment: «Je crois bien que ce n'est pas le genre de garçon que Tante Emilie apprécierait.»

Sally ne voulut pas lui laisser voir la rage qui montait en elle et elle quitta la pièce sans dire un mot.

Elle s'était réjouie en imagination depuis longtemps du moment où elle annoncerait à Miss Martin son retour chez Bill McIntire.

— Vraiment, dit cette dernière d'un ton pincé, je ne sais pas du tout ce que Miss Beecham va en penser.

— Si elle a des commentaires à faire, qu'elle aille voir Mr Hawker dit Sally avec un haussement d'épaules et elle se hâta de ramasser ses affaires! Aujourd'hui personne, même cette chipie aux lèvres minces, ne pouvait lui gâcher sa joie. On aurait dit qu'un énorme nuage noir amassé au-dessus de sa tête s'était dissipé, laissant un chaud soleil briller tout son saoûl.

Quand elle arriva dans la salle de rédaction toute bourdonnante elle demeura un moment hésitante, se demandant où elle pourrait bien s'installer. Un garçon la vit et se précipita pour la débarrasser de ce qu'elle portait à bout de bras: «Mr McIntire a dit de préparer votre ancien bureau.» Tandis qu'il l'y menait, elle se dit avec joie que son arrivée avait été amicalement préparée.

Elle s'assit à son bureau, regardant autour d'elle comme au premier jour de son arrivée au Globe. Le brouhaha qui constituait le fond sonore, le crépitement des machines à écrire, les sonneries perpétuelles de tous les téléphones et les voix impatientes des journalistes hélant les messagers, tous ces bruits familiers lui étaient plus doux à entendre que la plus belle musique. Au bout d'un instant des collègues commencèrent à s'apercevoir de sa présence et vinrent la congratuler. Bill McIntire travaillait dur derrière la cloison de verre de son bureau mais elle le vit lever la tête et faire un petit signe amical dans sa direction. Son moral monta telle une flèche.

Un après-midi où Sally grimpait à toute allure l'escalier Cathy entrebâilla sa porte et lui cria: «Attendez Sal, j'ai quelque chose pour vous.» Elle disparut à l'intérieur de l'appartement et réapparut portant un élégant paquet. «Voici! c'est arrivé par colis express, il y a une heure.»

Intriguée, Sally lui prit des mains ce colis peu volumineux: une boîte blanche enrubannée de rouge. Il n'y avait pas d'indication d'expéditeur et elle jeta à Cathy un regard gêné. La jeune infirmière laissa échapper un sifflement d'envie: «Avec ce genre de présentation, ce doit être un cadeau terriblement coûteux. Vous avez une idée de qui ça vient?»

— Absolument pas, dit Sally en faisant la moue.

— Eh bien, ma chère! insinua Cathy en prenant un air comiquement soupçonneux.

Sally leva les yeux au ciel d'un air résigné: «Ça y est, je sens que toute la maison va se poser des questions sur moi et se livrer à de terribles suppositions... si je ne vous montre pas immédiatement ce qu'il y a dans cette ravissante boîte!»

— Vous pouvez en être sûre, renchérit Cathy, je me suis toujours demandé ce que pouvaient contenir d'aussi ravissants empaquetages, n'ayant jamais eu la chance d'en recevoir moi-même. Est-ce que cela vient de chez Tiffany, de chez Cartier, allons, ouvrez-le vite.

— Comme ça vous aurez la preuve que je n'ai aucun secret pour vous. Ce-disant, elle défit le ruban, souleva le couvercle et découvrit niché entre des feuilles de papier de soie, tel un bijou précieux, un verrou de sûreté en acier.

Cathy qui se frottait les mains, tout excitée à la perspective du joyau attendu, se rembrunit mais, quand elle regarda Sally afin d'obtenir quelque éclaircissement, elle s'aperçut qu'elle avait rougi, et sa curiosité fut à nouveau aiguisée.

— Ce n'est qu'une plaisanterie... pas très drôle, marmona-t-elle en essayant de ne pas sourire puis elle se dépêcha de monter laissant Cathy déçue dans son attente. Son coeur battait à coups redoublés tandis qu'elle introduisait d'une main légèrement tremblante la clé dans la serrure. Une fois chez elle, elle se laissa tomber dans un fauteuil où elle resta immobile un instant, la boîte sur les genoux comme si elle avait peur d'y toucher. Finalement elle chercha à nouveau s'il y avait une carte de visite ou la moindre indication du donateur; à vrai-dire ce n'était pas bien nécessaire, le message était suffisamment clair. Elle n'aurait pas cru Rafe Hawker capable de faire une blague de ce genre. En général, quand il plaisantait, il y avait toujours une forte dose d'ironie mordante ou de cynisme. Cette fois il en était tout autrement, c'était la continuation d'une amicale taquinerie. Elle caressa d'un geste machinal son prosaïque cadeau.

Brusquement elle s'avisa qu'elle était restée dans cette position depuis près d'une heure et, penaude, elle se leva d'un bond. En reprenant contact avec la réalité, il lui vint à l'esprit que maintenant il s'agissait de le remercier. Même si l'intention était de lui jouer un tour, il s'y mêlait aussi une certaine sollicitude pour sa sécurité et elle ne pouvait négliger de lui en accuser réception. Comment allait-elle s'y prendre? Si elle écrivait un petit mot, ce serait trop solennel et pas dans le ton du cadeau. Non, il fallait le remercier oralement et tout de suite. Elle partait le soir même pour passer le congé de Thanksgiving à Glenbrook et ne serait pas de retour avant quelques jours. Ce serait discourtois d'attendre jusque là. Il valait mieux téléphoner, c'était moins intime et moins gênant qu'une visite.

Elle décrocha en hâte pour ne pas risquer de revenir sur sa décision par peur d'affronter le déconcertant Hawker. Elle se tançait intérieurement pour sa nervosité bien disproportionnée avec ce genre de cadeau et l'intention qui y avait présidé. Quand elle eut achevé de faire le numéro, elle se mit à prier ardemment pour qu'il fût en réunion ou déjà rentré chez lui. Il lui fallut passer par plusieurs personnes auxquelles elle dut décliner son identité et la raison de son appel avant de tomber sur la voix désormais familière d'Eve Terrant.

— Ici la secrétaire personnelle de Mr Hawker, qui est à l'appareil?

— C'est Sally Spencer, Mrs Tarrant, serait-ce possible de dire un mot à Mr Hawker?

— Mais oui, ma chère, répondit la voix amicale et Sally devina qu'elle devait sourire, je crois que c'est possible, patientez un instant, il est en conférence mais je vais voir s'il peut vous parler.

— Non, non, ne le dérangez surtout pas, ce n'est pas très imp... balbutia Sally mais Eve Tarrant n'était déjà plus en ligne, elle était en train de parler à son patron par l'interphone. La jeune fille se demanda pour quelle raison la secrétaire l'avait prise si vite en amitié, qu'avait-elle fait pour mériter l'approbation de cette femme nettement plus âgée?

La voix bourrue d'Hawker vint interrompre le cours de ces interrogatins: «Allo?»

Sally dut prendre une profonde inspiration avant de pouvoir parler:

— C'est Sally Spencer à l'appareil, Mr Hawker. Je ne voulais surtout pas vous déranger mais simplement je tenais à vous remercier du... du verrou.»

En s'entendant s'exprimer de cette façon maladroite et haletante elle réalisa que ce n'était pas du tout ainsi qu'elle avait eu l'intention de lui parler, elle aurait voulu prendre un ton léger, amusé, corresponsant à la bonne blague qu'il lui avait faite. «C'est vraiment une gentille attention» ajouta-t-elle.

— Dépêchez-vous de le faire installer. Il vous faut un serrurier professionnel.

— Oui, oui, je m'en occuperai dès mon retour.

— De retour? Où allez-vous, demanda-t-il d'une voix qu'elle jugea inutilement tranchante.

— Je rentre dans ma famille pour Thanksgiving aujourd'hui. J'ai quelques jours de vacances.

Il y eut un grand silence si fait que Sally crut qu'il avait déjà raccroché mais sa voix forte résonna à nouveau: «Sans doute verrez-vous Mr Smith?»

— Oui, il est au courant de mon arrivée.

— Dites-lui bien des choses de ma part, je vous prie et n'oubliez pas de lui faire savoir que je le contacterai bientôt au sujet des nouvelles presses dont nous avons déjà parlé. Ah! j'oubliais une dernière recommandation: Miss Spencer, tâchez cette fois de ne pas inonder son bureau de vos larmes sinon ce vieux frère croirait que nous vous maltraitons ici à New York!

Son rire contagieux fut la dernière chose que Sally entendit avant de raccrocher d'un geste brusque.

* * *

Elle préféra prendre le train plutôt que l'avion pour aller à Glenbrook, au grand soulagement de Tante Emilie qui devenait un vrai paquet de nerfs chaque fois qu'un de ses proches montait en avion. Il ne lui faudrait que quelques heures de voyage, ainsi elle ferait durer davantage le plaisir des vacances et aurait le temps de se réjouir à l'avance du retour à la ville natale.

Sally, elle n'avait aucune honte à le reconnaître, était fort sentimentale en ce qui concernait sa famille et les lieux où elle avait passé son enfance, et la joyeuse agitation de la foule qui encombrait Penn Station* accrut encore son allégresse. Elle se plaisait à imaginer que tous ces voyageurs se bousculaient dans la hâte de regagner leurs diverses provinces pour pouvoir chacun fêter demain en famille le Thanksgiving Day.

Elle se choisit un coin-fenêtre confortable et continua à regarder le paysage, même quand la nuit tombante gomma toute perspective à l'exception des lumières qui brillaient gaîment aux fenêtres des maisons que le train dépassait à vive allure. New York, le Globe et tous ceux qui en faisaient partie, restaient loin derrière elle. Tant qu'elle aurait sa famille et son pays natal pour l'accueillir, les choses et les gens d'ailleurs lui importeraient peu. Quand quelques heures plus tard le train ralentit pour entrer en gare, elle aperçut tout de suite sur le quai le groupe familial: Tante Emilie encadrée de deux petits enfants dont elle tenait les mains gantées de laine dans les siennes; elle arborait un sourire un peu inquiet tandis qu'elle inspectait les vitres des compartiments dans l'attente du cher visage. Debout près d'elle, se tenait l'oncle John flanqué de trois cousins de Sally et d'un assortiment de chiens bruyants et agités appartenant aux multiples maisonnées Holloway.

*Penn Station: gare de New York d'où partent les trains en direction de l'État de la Pennsylvanie.

A peine descendue du train, la jeune fille passa de bras en bras et reçut une avalanche de baisers. Les deux petits s'accrochèrent à ses basques pour qu'elle les prît dans ses bras, et les chiens ajoutèrent au tumulte général en sautant et jappant à qui mieux mieux! Tous les fâcheux souvenirs disparurent comme par enchantement à la perspective de passer quatre jours de pure béatitude auprès des siens. Cette nuit-là elle dormit d'un sommeil profond qu'aucun rêve ne vint troubler. Elle s'éveilla quand la maisonnée commença à s'agiter. Penny avait eu la permission de sortir; après s'être longuement et voluptueusement étirée, elle bondit du lit, enfila une robe de chambre bien chaude et ses pantoufles confortables, puis se dépêcha d'aller faire sa toilette. C'était le fruit d'une vieille habitude car autrefois c'était à qui s'emparerait de la salle de bain avant les autres mais à présent nul ne se la disputait! La cuisine bourdonnait d'activité et de merveilleuses odeurs en émanaient quand Sally y pénétra pour prendre son petit déjeûner. Tante Emilie se surpassait les jours de festivité; elle s'affairait à ses fourneaux et de ses doigts de fée sortaient tous les mets et pâtisseries que la famille engloutirait l'après-midi.

— Non, pas question que tu t'enfermes dans la cuisine, dit-elle d'un air sévère en essayant de prendre un tamis des mains de sa nièce. Les autres s'amusent, je ne veux pas te voir ici à travailler.

— C'est bien pourtant mon intention dit Sally en tenant le tamis d'une main ferme. Tu ne te rends pas compte à quel point je me suis réjouie à l'avance en pensant à ces préparatifs. Tu serais stupéfaite des dimensions de ma cuisine à New York, elle est minuscule, un vrai mouchoir de poche... juste la place de faire une omelette, je ne peux jamais cuisiner de véritables plats. Et puis j'aurai bien assez d'occasions de vagabonder à droite et à gauche les jours prochains. Aujourd'hui je n'ai qu'une envie: rester avec toi dans cette cuisine où je me sens si bien.

Sa tante n'avait protesté que pour la forme car rien ne lui faisait plus de plaisir que de travailler avec sa nièce. Les heures qui suivirent se passèrent à garnir des tartes, préparer des sauces, rôtir, arroser les volailles, mettre au four brioches et gâteaux etc. Pendant ce temps les deux femmes bavardèrent comme des pies surtout de sujets familiaux. Deux énormes dindes se doraient au four farcies de mille choses exquises dont seule Tante Emilie avait le secret; la sauce dont on l'arroserait était également une recette exclusive de la maison. A présent que la famille s'était agrandie de gendres, belles filles et petits-enfants, une dinde ne suffisait plus. Tante Emilie comptait toujours largement pour pouvoir offrir les morceaux restants aux voisins âgés qui ne pouvaient se préparer un grand repas.

Le déjeûner de Thanksgiving avait toujours lieu à trois heures de l'après-midi chez les Holloway mais bien avant l'heure tout le monde affluait et souvent on se réunissait dans la vaste cuisine où Tante Emilie s'évertuait à dire d'une voix bienveillante: «Allons, débarrassez moi le plancher, je vous ai tout le temps dans les jam-

bes, jamais je n'arriverai à terminer mes préparatifs!» Quand les enfants Holloway venaient en
visite chez leurs parents, ils emmenaient avec
eux tous leurs animaux, chiens, chats, sans oublier les favoris de certains petits enfants, à savoir des hamsters, des lapins et même des tor-
tues. Au milieu du vacarme et de l'agitation des
enfants et des bêtes, Tante Emilie et Oncle John
gardaient une parfaite sérénité et réussissaient ce
tour de force de rassembler autour de la table,
propres et bien coiffés, leurs descendants au
complet, à temps pour dire le bénédicité. Le repas durait au moins trois heures avec de longs
intermèdes entre les plats. En plein déjeuner,
tandis que les convives étaient totalement absorbés par la bonne chère et la conversation animée, Sally pensa tout à coup à Rafe Hawker.

Elle se demanda où il avait pris ce repas de
fête, dans un restaurant chic ou dans une maison luxueuse, servi par un maître d'hôtel stylé?
Pourquoi pas dans la famille d'Althea, conclut-
elle.

La table desservie, elle se laissa accaparer
par ses jeunes cousins et passa le reste de la journée à jouer avec eux et à contempler leurs ébats
tout en s'amusant de leurs espiègleries. Quelle
merveilleuse journée riche en joies familiales!
Elle y pensait encore en faisant un petit tour
avant de rentrer se coucher. Ces promenades du
soir lui avaient terriblement manqué à Manhattan. Elles avaient le don de vous clarifier l'esprit
et de vous disposer à vous endormir sans peine
pour une longue nuit de sommeil réparateur.

Le lendemain, comme prévu, elle appela

Cornelius Smith. Le vieux building du Patriote et les bureaux désuets faisaient piètre figure auprès de ceux du Globe, vastes et impersonnels mais dont l'installation était ultra moderne. Ses anciens collègues l'accueillirent à bras ouverts et lui posèrent une foule de questions. Smithy dut attendre, en déguisant mal son impatience, qu'elle en eût fini pour l'emmener dans son antre personnel. Après avoir fermé la porte, il la contempla avec affection en lui tenant les mains.

— Je suis très heureux de constater que vous n'avez pas changé depuis que vous nous avez quittés. Asseyez-vous dans mon fauteuil. Vous ne vous êtes pas peinturluré la figure et vous ne vous êtes pas mise au régime pour ressembler à ces espèces d'épouvantails en fil de fer que sont devenues les filles des villes de nos jours. Quelle chance! vous avez conservé cette fraîcheur de teint des gens en pleine santé.

— Alors vous vous attendiez à voir revenir une vieille femme ravagée par une vie de débauches? dit-elle d'un air taquin, vous savez, cela ne fait que quatre mois que je suis partie.

Il sourit mélancoliquement: «Cela m'a paru bien plus long; vous m'avez, je veux dire vous nous avez manqué! Mais vous nous avez fait honneur, j'ai lu tous vos articles et j'ai eu l'occasion de parler à Bill McIntire l'autre jour. Il n'est pourtant pas facile à satisfaire, eh bien il déguisait mal son enthousiasme pour votre travail! Maintenant, parlez moi bien franchement, êtes-vous *satisfaite*, *vous*, de votre boulot là-bas. Ils se mirent à bavarder du journal et de questions professionnelles. Malgré la sévérité qu'il affichait pour New York et les journaux qu'on y publiait, Smithy la regarda avec une pointe d'envie quand elle narra les temps forts et aussi les catastrophes qu'elle avait frisées pendant ces derniers mois.

— Evidemment nous manquons de tous ces hauts et bas ici mais ne vous imaginez pas que notre existence soit privée de choses excitantes.

Cette conversation dura plus d'une heure et, juste au moment de le quitter, Sally se rappela tout à coup le message qu'elle devait lui transmettre: «A propos, Rafe Haw... Mr Hawker m'a chargée de vous faire ses amitiés et de vous dire qu'il vous contacterait bientôt pour reparler de ces nouvelles presses.»

Elle fit son possible pour prendre un ton détaché mais le fait de prononcer son nom dans cette fameuse pièce lui rappela de fâcheux souvenirs. Elle entendait à nouveau le dernier conseil donné au téléphone: «N'inondez pas son bureau de vos larmes...»

— Parfait, dit Smithy avec satisfaction. Vous devez le voir souvent?

— Oh non! répondit-elle en restant dans le vague. Personne au journal ne le voit beaucoup.

— Je me demandais seulement comment il vous avait donné la commission pour moi, et il lui jeta un coup d'oeil furtif. Sally choisit d'ignorer cette dernière remarque; elle lui planta un baiser sur la joue et le quitta pour poursuivre sa tournée de visites en ville.

La dernière journée de Sally à Glenbrook se passa à faire ses adieux aux gens qu'elle avait revus avec tant de joie trois jours plus tôt. Sa tante l'aida à remballer ses affaires. Sally comprit en voyant son air si mélancolique qu'elle était profondément déçue, elle avait sans doute espéré qu'une fois revenue au sein de la famille la jeune fille n'aurait plus le coeur de repartir. Sally, elle aussi, n'avait pas bon moral. Non qu'elle fût lassée de son travail, au contraire elle avait hâte de s'y replonger. Mais New york, c'était également la fin de sa tranquillité d'esprit, le début d'inévitables difficultés. Son existence se trouvait singulièrement simplifiée depuis qu'elle avait quitté Althea, pourtant elle gardait certaines appréhensions.

Une heure avant le départ de son train, elle se trouvait dans le salon, entourée de la famille au grand complet; Tante Emilie s'agitait pour cacher sa détresse, les autres parlaient et riaient bruyamment. Dans le brouhaha général personne n'entendit la sonnette. Ce fut les aboiements d'un des chiens qui attira leur attention sur un éventuel visiteur. «J'y vais, dit Sally et, tenant le chien par son collier, elle se fraya un chemin dans l'assistance pour aller ouvrir la porte. «Je crains que vous n'ayez à marcher sur quelqu'un», déclara-t-elle mais son rire mourut dans sa gorge quand elle vit quel était le visiteur.

— Ils en font un bruit!

Et Hawker aperçut tout à la fois les joues d'un rose vif de la jeune fille dont le teint était avivé par la chaleur du feu et ses cheveux un peu ébouriffés d'avoir lutté avec le chien. Ensuite ce fut les animaux qui requérèrent son attention, en effet ils sautaient et jappaient autour de lui avec grandes démonstrations d'amitié.

— Ça suffit maintenant, les amis, dit-il d'une voix cordiale mais avec une fermeté de ton qui fit merveille, les chiens cessèrent leur manège et se contentèrent d'agiter frénétiquement la queue, de renifler les chaussures du visiteur.

Quant à Sally, elle demeurait plantée à la même place, comme paralysée, les yeux écarquillés d'étonnement.

— Au moins ces chiens savent vous accueillir chaleureusement, à défaut de leur maîtresse!

Tel fut son commentaire tandis qu'il les caressait.

Elle reprit ses esprits, juste assez pour le laisser passer mais elle ne réussit qu'à balbutier d'une voix haut perchée: «Pardonnez-moi mais ...mais vous étiez la dernière personne que je m'attendais à voir ici»! Elle poursuivit d'une voix un peu sèche: «C'est vrai, que venez-vous donc faire ici?»

S'adressant aux chiens sur le ton de la conversation Rafe déclara: «Voilà ce qui s'appelle une aimable maîtresse de maison, laisse-t-elle toujours ses visiteurs debout dans le vestibule pour leur faire passer un examen?»

Sally marmonna quelques mots d'excuses et l'invita à la suivre au salon. Elle le présenta à tous les membres de la tribu qui eurent la bonne idée de l'accueillir comme un visiteur ordinaire qu'on est content de revoir. Seule Tante Emilie jeta à sa nièce un regard interrogateur auquel elle ne put répondre que par un bref signe de tête. A son grand étonnement elle vit que Rafe, en quelques minutes, fut entraîné par son oncle et ses cousins dans une conversation animée; elle ne l'avait jamais vu aussi à son aise et détendu. Il s'entretint avec entrain de sujets tout simples qu'elle aurait jugés bien au dessous du niveau intellectuel de l'arrogant propriétaire du Globe. Elle y participa peu car elle était bien trop occupée à se demander la raison de sa présence parmi eux. Assise sur le bras du fauteuil de son oncle elle regardait Rafe sans en avoir l'air.

Il était habillé moins cérémonieusement qu'à l'habitude: veste de tweed dont le ton se mariait à merveille avec celui de son pantalon de flanelle et gros pull-over de laine moelleuse. Ainsi vêtu, il paraissait beaucoup plus juvénile. Bien carré dans son fauteuil, il ne semblait pas prêter attention à la présence de Sally, tout à la conversation avec l'oncle John. Mais pourquoi diable est-il venu, se répétait-elle, est-ce que je rêve, est-ce bien Rafe Hawker qui bavarde de choses et d'autres avec les miens comme si c'était la chose la plus naturelle du monde? Même s'il s'était décidé à aller voir Smithy pour des questions professionnelles, cela n'expliquait pas pourquoi il était venu *ici*. Il n'avait qu'à passer directement au Patriote et à rentrer non moins directement à New York...

— New York, mon Dieu! ne put-elle s'empêcher de s'exclamer, mais je vais le rater.

— Vous avez tout votre temps, coupa Rafe avec un regard bref dans sa direction, je rentre en auto, je vous ramènerai.

Comme chaque fois ce n'était pas une proposition mais une décision à laquelle elle n'avait pas part mais au lieu de l'agacer, cela éveilla un sentiment bien différent.

— J'avais à régler certaines questions avec Cornelius Smith, expliqua-t-il à l'adresse de son oncle et de sa tante, aussi suis-je venu le voir au Patriote.

Sally se douta qu'en réalité c'était à elle que ces propos étaient destinés.

Immédiatement l'hospitalité bien connue de Tante Emilie se manifesta: «Après avoir conduit si longtemps, dit-elle, vous devez avoir besoin d'un repas chaud. J'espère que vous voudrez bien nous faire le plaisir de rester dîner avec nous, je puis préparer quelque chose en un rien de temps.»

Il répondit en souriant: «Rien ne peut me faire plus de plaisir.» Tante Emilie exprima sa satisfaction par un signe de tête et se dirigea vers la cuisine, Sally sur les talons.

— Tu devrais retourner au salon, ce n'est pas poli d'abandonner ainsi ton invité, gronda la tante Emilie. A moins, bien sûr, que tu ne veuilles me confier quelque chose, ajouta-t-elle malicieusement.

— Je n'ai aucune confidence à te faire, déclara Sally d'un ton qu'elle s'efforçait de rendre indifférent. Son arrivée m'a surprise autant que toi, je t'assure, j'étais médusée quand je l'ai vu sur le pas de la porte!

— Moi? mais je n'ai pas été étonnée du tout! La seule chose qui m'ait surprise — Emilie sourit finement — c'est qu'il ne ressemble pas du tout au portrait que certaines personnes en font: il est aimable, poli simple... et beau par dessus le marché.

— Beau?

— Tu ne trouves pas?

La bonne dame sourit en voyant sa nièce piquer un fard. Elle réfléchit un instant: «J'imagine qu'un homme aussi séduisant doit attirer toutes les femmes, en courtise-t-il une, à ta connaissance?»

— Je n'en sais rien, dit Sally qui sourit intérieurement de cette expression démodée. «Je crois que c'est plutôt les femmes qui lui courent après. Du moins j'ai entendu dire qu'il a beaucoup de relations féminines.

Son air détaché avait-il réussi à convaincre sa tante?

— Et toi, ma chérie, tu le connais bien? demanda celle-ci le plus naturellement du monde.

Sally, un peu énervée, répondit: «Non, pas bien du tout, presque pas en fait.»

Surprenant le regard interrogateur de sa tante, elle s'écria avec exaspération: «Vraiment Tante, ta manie de faire des mariages te fait dérailler complètement cette fois. Rafe Hawker est bien le dernier homme que... Si tu savais...» Elle s'interrompit embarassée et cramoisie.

La tante s'entêta: «Tout ce que je sais, c'est qu'il est venu en auto de New York jusqu'ici juste pendant la période où tu te trouvais à la maison et qu'il est installé dans notre salon, en attendant de pouvoir te ramener.»

Ce n'était pas la peine d'essayer de la convaincre, cette chère Tante Emilie qui l'aimait tant, que Rafe Hawker n'était pas le genre de personnage à inspirer de romantiques projets à cause de son arrogance, de sa richesse, de sa puissance. Inutile de lui confier qu'il la traitait tantôt avec une condescendance amusée, tantôt avec une méprisante ironie et qu'on ne le voyait qu'en compagnie de femmes à pedigree telle que la belle Althea Beecham. Bien sûr la pauvre femme ne pouvait comprendre: pour elle il était archi naturel qu'un homme même au faîte des honneurs s'entichât d'une nièce aux cheveux d'or, au bon caractère, énergique et intelligente de surcroît.

— Et maintenant, ma petite fille, conclut Tante Emilie d'un ton ferme, tu vas me faire le plaisir de retourner au salon sinon notre visiteur va croire que je t'ai bien mal élevée!

Sally revint docilement au salon où elle trouva les autres plongés dans une discussion des plus animées. La famille Holloway était très extravertie et Hawker semblait y trouver spontanément sa place. Confortablement installé dans son fauteuil, il prenait une part active aux débats tout en caressant de ses longs doigts vigoureux la tête d'un des chiens posée sur son genou. Quand Sally entra, il lui jeta un coup d'oeil puis regarda à nouveau un de ses cousins avec qui il était en train de parler. Sally, assise dans un coin sombre de la pièce, se sentit tout à coup envahie d'une joie profonde à le voir installé près du feu, entouré de toute la famille au sein de laquelle il paraissait si à son aise et qui l'appréciait elle aussi. Elle en avait chaud au coeur. La raison pour laquelle il était venu ne lui importait plus, l'essentiel étant de savoir que, pour le moment, il était dans cette pièce comme s'il faisait partie de la maison depuis toujours.

Elle ne faisait guère attention à la conversation mais elle passait son temps à observer ce visage si ouvert, si prêt à s'illuminer d'un sourire ou d'une franche hilarité. Son regard gris s'était dépouillé de sa froideur glacée, l'expression sévère avait fait place à une grande douceur. Perdue dans ses rêves elle porta tout à coup les yeux sur les mains qui caressaient avec lenteur la tête du chien et elle pensa avec un petit frisson qu'elle aussi avait éprouvé leur douceur.

Elle émergea de sa rêverie quand Emilie vint annoncer que le dîner était servi. Hawker demanda la permission d'aller se laver les mains et Sally vit avec étonnement que la lumière de fin d'après-midi avait fait place à l'obscurité veloutée de la nuit.

Pendant le repas, l'atmosphère fut tout aussi détendue. Tante Emilie avait insisté pour que la jeune fille fût assise à côté de Hawker et elle oublia sa gêne suffisamment pour pouvoir se mêler à la conversation générale. Elle était néanmoins si énervée et inquiète intérieurement qu'elle ne faisait que toucher du bout des lèvres aux mets exquis que l'hôte dégustait avec un plaisir visible et un allègre appétit. Il fit des compliments à Tante Emilie sur ses talents culinaires, ce qui augmenta encore sa cote auprès d'elle.

— C'est vraiment grand dommage que vous n'ayez pas été là pour le dîner de Thanksgiving, dit l'oncle John, Emilie se surpasse ce jour-là!

— J'en suis navré moi aussi, répondit-il en jetant un regard du côté de sa voisine. Bien sûr, si j'avais été convié j'aurais accepté de grand coeur!

Bien que dits à mi-voix à l'intention de Sally, ces propos furent entendus par la maîtresse de maison qui se tourna vers sa nièce et dit d'un air de reproche: «Tu vois.»

Sally sur la défensive rétorqua: «Je croyais que vous jugiez les festivités de *Thanksgiving* comme une chose sentimentale et absurde.»

Hawker murmura: «Vous savez, j'ai tout de même une certaine sensibilité, bien que vous sembliez croire le contraire.»

La jeune fille baissa les yeux vers son assiette et ne dit plus rien.

La cousine Joanne intervint en déclarant: «Le repas de *Thanksgiving* n'est rien en comparaison de celui que Maman nous offre le jour de Noël» et elle ajouta avec un clin d'oeil en direction de Sally: «Mr Hawker, vous pourriez peut-être venir le partager avec nous?»

Ce fut pour Sally une étonnante expérience que d'observer son patron faisant mille efforts pour se rendre aimable et mettre tout le monde à son aise, elle ne l'avait jamais vu ainsi.

Le temps passa trop vite et vint l'heure des adieux. Tante Emilie leur remit un thermos de café et un gros paquet de sandwiches pour les réconforter pendant ce long trajet en auto. Elle embrassa sa nièce une dernière fois sur le pas de la porte tandis que Hawker serrait la main de tous. Il l'aida à s'installer dans l'auto et la sensation de chaud bien-être qui ne l'avait pas quittée de la soirée fit place à une intense nervosité: elle allait se trouver en tête à tête avec lui pendant plusieurs heures, allait-il continuer à se montrer aimable et détendu ou retomberait-il dans un de ses impénétrables silences? Ils démarrèrent après un dernier geste d'adieu et s'enfoncèrent dans la nuit. Il n'avait pas pris la limousine dont il se servait en ville mais un modèle plus petit, idéal pour rouler sur les routes plus rudes de campagne. Une bonne chaleur régna très vite à l'intérieur et elle déboutonna son gros manteau.

— S'il fait trop chaud pour vous, n'hésitez pas à me le dire, je peux baisser le chauffage.»

— Oh non, c'est parfait ainsi.

Elle s'adossa confortablement et lança un regard furtif vers lui. Il conduisait avec une parfaite aisance, en clignant un peu des yeux pour bien voir la route qui s'allongeait devant eux, dans une profonde obscurité. Il tourna brusquement la tête et surprit son regard: «Pas nerveuse, j'espère?»

— Pas le moins du monde et faisant exprès de ne pas comprendre le sens de sa question elle ajouta: je suis habituée à conduire la nuit.

Hawker se mit à rire, devinant qu'elle avait très bien compris ce qu'il avait voulu lui dire. «En ce cas, vous ne regrettez pas le train?»

— Non, je vous remercie de vous être encombrée de moi, répliqua-t-elle poliment mais elle eut la hardiesse inattendue d'ajouter: «J'ai tout de même été surprise de vous voir débarquer à l'improviste à Glenbrook!»

Il ne répondit pas tout de suite et elle eut le temps de se dire qu'elle avait été trop loin; il finit par expliquer comme après mûre réflexion, «je vous ai dit que j'étais passé voir Smithy pour des raisons d'ordre professionnel.»

— Pure coïncidence! ne peut-elle s'empêcher de s'écrier.

— Mais oui, dit-il avec un grand sourire, à

moins que vous ne préfériez penser que je suis venu tout exprès pour vous.

Ne sachant que dire, elle détourna les yeux et se mit à regarder le paysage nocturne. Hawker tendit la main et, lui prenant le menton, la força à le regarder. Sally tressaillit à ce contact inattendu et laissa échapper un petit cri. Il eut l'air étonné et dirigea la voiture vers le bas-côté de la route où il stoppa. Il recommença son geste. Gênée, elle s'obligea à sourire timidement: «Pardonnez-moi, je n'aurais pas dû réagir ainsi, je suis un peu nerveuse, je le crains.

— Pourquoi l'êtes-vous?

Parce que je suis une sotte, songea Sally; parce que je ne peux garder mon calme quand je suis assise si près de vous, je ne sais plus où j'en suis, voilà la raison. Mais elle ne dit pas un mot et garda les paupières baissées.

— Il faut pourtant que vous choisissiez si vous préférez la provocation ou la réserve, dit-il, ajoutant d'une voix très basse: Moi cela m'est égal, vous me plaisez autant dans l'un et l'autre cas! Il lui mit la main derrière la nuque, lui tint le menton de l'autre, et s'approcha tout près pour lui poser doucement ses lèvres brûlantes sur les siennes en un baiser prolongé. Sally se sentit faible, faible, comme si elle avait perdu tout son sang, elle sombrait toujours plus profond... dans un effort pour s'en sortir elle s'accrocha des deux mains aux revers de la veste de Hawker. Il recula et lui jeta un regard attentif, un regard sans l'ombre de moquerie mais plein de sérieux et d'interrogation.

Sally était toujours dans un état d'extrême fatigue, seul la rappelait à la vie le souvenir de ce baiser brûlant. Pour échapper à son regard intense elle courba le front et l'appuya contre la poitrine du jeune homme. Celui-ci lui caressa doucement les cheveux pendant un instant puis il lui releva le visage et lui posa les lèvres sur la tempe. Elle éprouva l'envie invincible de s'accrocher à son cou et de lui offrir ses lèvres. Il l'étreignit cette fois avec plus de force, plus d'intensité amoureuse; le baiser de part et d'autre fut plus éperdu; ils se serrèrent l'un contre l'autre à en perdre le souffle puis, presque brusquement, il l'éloigna.

— Douce, douce Sally, murmura-t-il les lèvres pressées sur ses cheveux, la voix contenue.

Une folle allégresse s'empara de la jeune fille. Si seulement elle pouvait rester ainsi blottie contre lui, la tête sur son coeur, respirant sa plaisante odeur virile, sans avoir à guetter l'expression de ses yeux... Elle poussa un long soupir et s'écarta de lui. Quand elle eut le courage de le regarder, il avait repris sa place derrière le volant et la fixait d'un regard direct mais elle le sentait sur ses gardes. Quant à elle, avec ses grands yeux et sa chevelure légèrement en désordre, elle semblait si jeune, si vulnérable.

— Vous êtes absolument ravissante, dit-il comme s'il se parlait à lui-même. Le souvenir des derniers instants lui revint, il se redressa: «Il faut repartir», dit-il en démarrant.

Sally passa sans transition de la béatitude la plus pure aux affres les plus terribles; elle pria en silence: s'il vous plaît, faites qu'il ne regrette pas ce qui vient de se passer entre nous, faites que cela ait autant d'importance à ses yeux qu'aux miens! Elle tenta de lire sur sa physionomie les raisons de son brusque changement d'attitude. Avait-elle eu tort de réagir si violemment à son étreinte? Avait-elle eu tort de lui montrer à quel point elle avait désiré ce baiser? Elle ne pouvait s'avouer qu'une chose: c'est qu'elle lui aurait bien volontiers offert sa vie s'il la lui avait demandée à ce moment-là. Cette fois-ci il fit un effort pour détendre l'atmosphère. Petit à petit la conversation s'engagea à mesure que la voiture merveilleusement conduite avalait les kilomètres. Il se donna du mal pour entretenir la conversation et elle, de son côté, s'obligea à répondre avec entrain, faisant taire sa peine secrète. Son ton était plus doux que d'habitude, sans pointes sarcastiques mais il ne fit plus allusion à ce qui venait de se passer. Elle se rappela non sans mélancolie l'épisode dans l'appartement, quand il avait réagi de la même façon, en changeant brutalement de comportement. Il se cachait vraiment sous une sorte de cuirasse et du fait qu'il en était sorti fugitivement tout à l'heure, elle trouvait encore plus cruel de l'y voir à nouveau enfoui.

Hawker attribua son soudain mutisme à la fatigue et proposa: «Si vous avez sommeil, vous pouvez vous appuyer contre moi, vous serez mieux pour dormir.»

— Je n'ai pas sommeil du tout, je suis bien réveillée, répondit-elle en prenant un ton plus alerte.

— Tant mieux, je préfère de beaucoup que vous me teniez compagnie. Elle se dit en apercevant son profil vaguement éclairé que même ces paroles banales lui étaient un baume... Revenant à des considérations plus prosaïques elle se rappela le paquet remis par sa tante.

— Je crois que vous devriez vous reposer un instant et boire un peu de café. Tante Emilie a préparé pour nous un thermos et des sandwiches.

— Adorable Tante Emilie, dit-il en souriant.

Pour la seconde fois ils s'arrêtèrent sur le bas-côté. Sally frémit mais s'affaira à verser le café bouillant et à enlever le papier qui enveloppait les sandwiches. Hawker accepta avec joie le café et déclina le sandwich.

— Il va faire froid maintenant que j'ai coupé le moteur, venez plus près de moi, je vous tiendrai chaud.

La suggestion était faite sur un ton quasi impersonnel. La jeune fille hésita mais il l'attira près de lui, elle sentit le contact de son corps mince et musclé. Il lui jeta un bras par dessus les épaules; de l'autre main il tenait son gobelet fumant. C'était de sa part un geste protecteur comme il en aurait eu avec un enfant mais cela suffit pour remplir Sally d'un doux bien-être. Elle ne pouvait voir son visage dans cette position et elle était contente de ne pas exhiber le sien avec son expression d'ardeur impatiente.

Elle sentait dans ses oreilles son coeur qui battait à coups redoublés, le bruit lui sembla si fort qu'elle craignit que Hawker pût l'entendre.

Au dehors régnaient l'obscurité, le froid, le silence qui, par contraste, rendait encore plus sensible l'intimité protectrice de la voiture, elle avait l'impression qu'ils étaient tous deux seuls au monde. Un frisson d'ardeur amoureuse la parcourut tout entière. Il crut qu'elle avait froid et la serra un peu plus contre lui. Sally goûta intensément la joie de s'appuyer contre lui; quel que fût l'avenir, elle voulait savourer ces minutes précieuses où il l'enveloppait d'un geste tendre... personne jamais ne pourrait lui ravir ce moment de pur bonheur.

Elle ne bougea que pour lui verser une seconde rasade de café et, à nouveau, elle se blottit contre lui. Elle ne pensait à rien d'autre qu'à sa présence si proche. Ils restèrent ainsi sans prononcer une parole. Finalement Hawker fit un mouvement pour s'écarter d'elle avec douceur: «Il faut se remettre en route.» Et ils poursuivirent leur route. Hawker semblait absorbé dans ses pensées et, cette fois, ce fut Sally qui fit l'effort d'entretenir une conversation enjouée. Le silence eût risqué de la plonger dans une méditation mélancolique, elle préférait chasser de son esprit certaines préoccupations... il serait toujours temps de leur laisser libre cours plus tard. Elle était résolue à feindre la gaîté. Plutôt mourir que de lui laisser entrevoir la profondeur de ses sentiments à son égard. Plus on approchait de la cité, plus il lui paraissait distant comme s'ils se hâtaient de reprendre pied dans le réel après un moment d'évasion et de rêve sur la route de campagne plongée dans la nuit. Quand elle aperçut dans le lointain les lumières de Manhattan, telles des têtes d'épingles étincelantes, elle eut l'impression que le coeur lui manquait et elle eut la gorge serrée comme dans un étau. «Leur» nuit s'achevait et il n'y en aurait jamais d'autre semblable... Quel vide affreux!

Plus tôt, bien plus tôt qu'elle ne l'aurait

cru, la voiture s'arrêta devant son immeuble. Après avoir coupé le contact, il demeura immobile, le regard perdu dans la nuit. Le coeur de Sally recommença à battre la chamade, elle percevait une sorte d'attente comme s'il y avait en lui un conflit dont l'issue était incertaine; elle retenait son souffle, désirant qu'il pût enfin lui exprimer ce que par deux fois déjà il avait failli lui dire. Il sentit son regard sur lui et se tourna vers elle. Il était de nouveau sur ses gardes, ayant sans doute gagné une fois de plus le combat. Quelle qu'eût été l'émotion ressentie, il l'avait surmontée, effacée et elle se dit avec désespoir que jamais ce sentiment mystérieux n'aurait le droit de voir le jour, jamais il ne le se permettrait.

Elle se contraignit avec peine à esquisser un sourire et à articuler quelques mots de remerciements pour l'agréable retour. Le souvenir de cette soirée et ses propres sentiments refoulés donnaient à ses propos une politesse conventionnelle qui sonnait faux. Il fallait le quitter le plus vite possible et se réfugier dans la solitude de son appartement. Il perçut l'altération de sa voix et la regarda tendrement. Elle détourna vivement les yeux et allégua qu'elle était en fait bien plus lasse qu'elle ne l'aurait cru et qu'elle avait du mal à tenir les yeux ouverts. Elle battit plusieurs fois des paupières pour rendre l'explication plus crédible mais en vérité elles étaient lourdes de larmes contenues, non de fatigue. Il l'enveloppa d'un regard pénétrant puis descendit de voiture et lui tint la portière ouverte. Ils se dirigèrent de compagnie vers la porte de l'immeuble et arrivée là, elle lui dit d'un ton las: «Je vais vous dire bonsoir ici. Vous devez être fatigué d'avoir conduit si longtemps et avoir envie de rentrer chez vous le plus vite possible.»

— Non, je vous raccompagne jusqu'en haut pour être sûr que vous arriverez sans encombre, déclara-t-il avec fermeté et elle obéit docilement, le précédant dans l'escalier. Il lui prit la clé des mains, ouvrit la porte, alluma l'électricité dans l'entrée, jeta un coup d'oeil circulaire mais sans entrer: «Pas d'ennemis en vue!» dit-il en souriant. A propos, promettez-moi que vous ferez venir le serrurier dès demain. «La jeune fille pensa: Vous pouvez me demander n'importe quoi, je vous le promettrai mais elle répondit sagement: «Je vous le promets.»

A nouveau il hésita en la regardant puis il lui effleura la joue de la main, tourna les talons et dévala l'escalier. Sally entra chez elle, referma la porte et s'y adossa, laissant libre cours à sa nostalgie de sa présence. «Mon Dieu, mon Dieu! gémit-elle au milieu du silence de l'appartement désert, dire qu'il a fallu que je tombe amoureuse de Rafe Hawker!»

CHAPITRE IX

Dans les jours qui suivirent Sally accomplit toutes ses tâches au journal et à la maison, sortit avec des amis, fit tout ce qu'on attendait d'elle, mais à la manière d'un véritable robot. La peine qu'elle avait ressentie, le soir où Hawker l'avait ramenée à la maison et où elle avait dû s'avouer qu'elle l'aimait, s'était muée en une profonde mélancolie. Cet amour qui la rongeait, elle le reléguait dans les profondeurs secrètes de son être. Elle n'eût pu dire ce qui était le plus douloureux, le plus pénible à supporter, de cette souffrance du début ou du vide qui avait pris sa place. Depuis ce voyage, il n'avait pas tenté une seule fois de la revoir.

Cette fameuse nuit, elle avait réalisé qu'il y avait longtemps qu'elle aimait Hawker, peut-être même depuis la première rencontre à Glenbrook, quand un seul de ses regards lui avait fait battre le coeur follement. Il avait, déjà à ce moment, éveillé en elle une émotion d'un genre qui lui était jusqu'alors inconnu. Mais cet amour s'était véritablement ancré en elle le soir où, pour la première fois, il était venu dans son appartement. Un geste d'une tendresse imprévue avait suffi pour lui conquérir son coeur.

Quelle stupide créature je suis, passait-elle son temps à se répéter: entre tous les hommes qui peuplent la planète, choisir Rafe Hawker! Ce qui était bien pis, c'est qu'elle lui eût laissé *voir* qu'elle était tombée amoureuse de lui... Ce n'avait été que trop visible pendant le trajet de retour à New York. Elle était au supplice en pensant qu'il avait dû regretter de l'avoir embrassée, une fois qu'il s'était rendu compte de l'état dans lequel la mettaient ses baisers, c'était la raison pour laquelle il avait montré une telle réserve durant le reste du voyage.

Et pourtant, se disait-elle par moments, ce n'est pas moi qui l'ai provoqué; elle avait fait de son mieux pour ne pas se trouver sur son chemin; elle n'était pas responsable de son intrusion à leur table, le soir du dîner au Chantilly Room ni de son apparition au Headliner sur un prétexte futile. Ce n'était pas elle non plus qui avait arrangé ce voyage d'affaires coïncidant avec son propre séjour en famille. Qu'avait-il donc eu en tête à chaque fois? C'était son coeur qui exigeait des explications tandis que son esprit tentait d'imposer sa logique à ses sentiments.

Il ne fallait pas oublier non plus ce fait irrévocable que rien ne pouvait gommer: la présence d'Althea dans sa vie. Il y avait plus d'une semaine qu'ils étaient revenus de Glenbrook, elle ne l'avait pas revu mais avait entendu dire qu'il avait pris des vacances quelque part. Quand elle nota que les rubriques mondaines de la jeune femme étaient écrites dans une luxueuse station de ski du Colorado, il lui fut aisé de tirer une conclusion.

D'ailleurs une petite visite que lui fit Mike Costello tandis qu'elle travaillait à son bureau ne lui laissa pas le moindre doute à ce sujet. Après quelques propos décousus, il fonça: «Un de mes amis revient de faire du ski, il était descendu dans un chalet près d'Aspen», raconta-t-il avec un naturel un peu forcé.

Sally sentit une poigne glacée lui tordre l'estomac, elle pressentait la suite mais réussit à maintenir une expression d'intérêt poli sur son visage.

— Devinez quels tourtereaux il a rencontrés là-bas, poursuivit-il d'un ton de dérision.

— Comme je n'arriverai pas à deviner, je préfère ne pas perdre mon temps à essayer, dit la jeune fille en se forçant à garder son calme.

— Eh bien, c'était notre Hawk national en compagnie de sa douce Althea Beecham.

Il guettait sa réaction avec intérêt mais elle réussit à paraître totalement indifférente: «Ah oui?» .

La satisfaction qu'avait ressentie Mike en annonçant cette nouvelle céda la place à un vif désappointement. Il lui jeta un regard pénétrant qui ne rencontra que froideur.

Il commenta à haute voix: «Voilà une jeune dame bien maîtresse d'elle-même ou bien sûre de son fait!» Comme Sally ne répondit rien, il changea de tactique et eut l'air subitement inspiré: «Mais, dites-moi Sally, il y a des siècles que nous n'avons pu bavarder tranquillement si nous dînions ensemble un de ces jours... et pourquoi pas ce soir?»

Sally ne réalisa qu'à cette minute même quelle accumulation de ressentiment elle avait emmagasinée inconsciemment à l'égard de ce garçon. Elle frémit intérieurement à l'idée qu'elle avait pu être sensible à son charme ou à l'agrément de sa conversation. Comment avait-elle pu supporter ses manières effrontées et son impertinence? Mike et ses semblables, pensa-t-elle, sont des gens qui ne pensent qu'à leur ego, ils vivent à l'affût de ce qui flattera leur vanité et gare à ceux qui la blesseront, ils leur en voudront jusqu'à leur mort. Et comme ils n'ont pas le courage de se battre ouvertement, ils chercheront à se venger par des procédés sournois. Elle comprenait fort bien qu'il ne l'aimait plus et qu'il continuait à lui faire la cour uniquement dans le but de ménager son ego qu'elle avait contribué à malmener. Éconduit définitivement, il deviendrait un redoutable ennemi.

Elle répondit: «Non, Mike, je ne crois pas que ce soit possible, je vous remercie de votre proposition mais vous savez, je suis très occupée en ce moment.»

Sally n'aimait pas devoir repousser ainsi les gens, même ceux comme Mike. Elle espéra qu'il se le tiendrait pour dit sans l'obliger à mettre trop brutalement les points sur les i. A voir son expression mécontente, elle se rendit compte qu'il avait compris mais qu'il n'était pas disposé à battre en retraite dignement ainsi qu'elle l'avait espéré.

— Vous en tenez toujours pour le chef, hein Sal? dit-il méchamment. Vous perdez votre temps, permettez-moi de vous le dire. Aucune fille n'a jamais pu l'accrocher pour de bon; à ce que j'ai pu constater personnellement il a toujours les plus chouettes. Un de ces jours, vous serez peut-être bien contente de m'avoir sous la main pour recoller les morceaux de ce pauvre petit coeur... quand enfin vous aurez pigé! Et, furieux il tourna les talons.

Ces paroles résonnèrent un long moment encore dans les oreilles de Sally. Il les avait prononcées dans un accès de colère mais elle leur reconnaissait une part de vérité. Par exemple quand il avait dit: «Il a toujours les plus chouettes», c'était vrai, songea amèrement la jeune fille, il n'avait que l'embarras du choix mais Mike avait tort en disant que jamais les filles ne l'accrochaient pour de bon. Tout portait à croire qu'Althea avait mis fin à ce défilé perpétuel et restait maîtresse du terrain. Sally, à cette pensée, fut plongée dans un abîme de désolation.

Les jours suivants elle se jeta à corps perdu dans le travail, cherchant à se fatiguer le plus possible pour qu'une fois de retour chez elle, elle pût s'effondrer sur son lit, trop lasse pour penser à quoi que ce fût. Un après-midi qu'elle revenait d'un interview en compagnie de Sam Allen, le jeune photographe avec qui elle avait collaboré plusieurs fois déjà et qui la raccompagnait en auto au bureau, ils traversèrent West Side. Elle admirait en passant les majestueuses maisons anciennes de ce quartier, jadis réservé à la meilleure société, avec vue sur l'Hudson. Elle se tourna vers le jeune homme pour déclarer «Un jour, quand j'aurai de l'argent c'est ici que je veux m'installer. De l'extérieur on dirait vraiment des palais et je parie qu'à l'intérieur c'est aussi beau. J'ai fait un reportage, dans une de ces maisons, il y a une quinzaine de jours, jamais je n'étais entrée dans un aussi bel appartement, au moins dix pièces, partout d'immenses cheminées.»

— Moi aussi, murmura Sam, j'ai un faible pour les vieilles maisons dans les rues retirées.

Sally soupira: «Mais il faut posséder des millions pour se permettre de venir habiter ici.»

— Vous voulez que je vous en montre une vraiment magnifique, vous serez étonnée d'apprendre à qui elle appartient, dit Sam avec une expression malicieuse.

— O.K.

Quelques minutes plus tard il arrêta l'auto dans une rue paisible bordée d'arbres où s'alignaient de beaux hôtels particuliers magnifiquement entretenus.

— Devinez qui habite là, dit-il en en désignant un.

La jeune fille admira la maison haute et étroite; la façade en était tapissée de vigne-vierge; le soleil se jouait sur les cuivres. Il y avait à l'entrée une grille en fer forgé et une porte vitrée. Elle aperçut à travers l'imposte un splendide lustre étincelant. Intriguée, elle lança à son compagnon un regard interrogateur.

— Qu'est-ce que vous en dites, hein c'est une chouette maison! Vous ne devinez pas?

— Si, si, pas la peine de me le dire, c'est à vous, j'ai toujours pensé que les photographes étaient des types surpayés!

Un large sourire s'épanouit sur le visage du jeune homme mais, avant qu'il eût eu le temps de répondre, un très beau setter roux avisant la glace baissée de l'auto essaya de bondir à l'intérieur. La jeune fille en riant caressa le poil soyeux et, frétillant, le chien réitéra sa tentative. Le rire de Sally s'étrangla quand elle entendit une voix autoritaire: «Veux-tu arrêter, idiot! On ne monte pas comme cela dans l'auto des gens.»

Avant même que le possesseur de cette voix se fût montré à la fenêtre, Sally se sentit pétrifiée. La seconde d'après, la longue silhouette se courbait mais les mots d'excuses se figèrent sur ses lèvres quand il reconnut la jeune fille. Il leva ses yeux gris acier et sa bouche frémit d'amusement.

Sally éperdue fixait d'un air éploré le visage buriné de Hawker. C'était humiliant pour elle d'être surprise en train d'admirer sa maison.

— Eh bien, Miss Spencer! En voilà une bonne surprise, s'exclama-t-il avec ironie tout en redressant sa haute taille. Il portait un pull over à col roulé sous sa veste en peau de mouton retournée et devait s'apprêter à aller promener son chien.

Elle jeta un regard de reproche vers Sam pétrifié lui aussi par la soudaine apparition du propriétaire du Globe. Il s'éclaircit la voix nerveusement et bégaya: «C'est entièrement de ma faute, monsieur, je suis désolé... j'ai amené Sally ici, elle ne savait pas...» Et sa voix se perdit dans un silence embarrassé sous l'oeil amusé du patron.

— Dites-moi, ne seriez-vous pas en train de monter la garde devant chez moi, tous les deux?

— Non... pas du tout, Monsieur, balbutia Sam, je voulais juste... Le jeune homme avala bruyamment sa salive mais l'attention de Hawker était à nouveau fixée sur Sally. Celle-ci demeurait immobile, les paupières baissées, les mains crispées sur les genoux. Elle criait intérieurement: non, ce n'est pas possible, de quoi ai-je l'air? Que va-t-il penser de moi? «Ne seriez-vous pas en train de *monter la garde* devant chez moi», ces mots sarcastiques la couvraient de confusion. Seigneur! C'est l'impression que nous lui avons donnée, gémissait-elle horrifiée. Si seulement Sam m'avait prévenue, je l'aurais empêché de s'arrêter ici. C'est la chose la plus humiliante qui me soit arrivée depuis que je le connais et Dieu sait!... Il faut absolument que j'arrive à le convaincre que je n'étais pas là pour l'espionner. Elle ouvrit les yeux et prit son courage à deux mains. Mais avant qu'elle eût pu prononcer un mot Hawker déclara: «Puisque vous avez fait *tout ce chemin* pour venir me rendre visite, veuillez entrer Miss Spencer.»

— Je ne suis pas venue vous rendre visite, protesta Sally, les mâchoires serrées, mais il n'y fit pas attention et dit à Sam: «Je suis sûr que beaucoup de travail vous attend au bureau, jeune homme.» Le ton n'invitait pas à la discussion et le jeune photographe, tiraillé entre le désir de ne pas lâcher Sally et le soulagement à l'idée qu'on l'invitait à prendre congé, n'hésita pas longtemps car Hawker avait déjà ouvert la portière du côté de Sally et attendait visiblement qu'elle voulût bien descendre. Il avait le don de la mettre toujours dans la position où il est préférable de céder plutôt que de se mettre à discuter.

Elle lança à Sam un regard qui se voulait chargé de réprobation mais, à la vue de son visage abattu, elle lui adressa un sourire réconfortant. Même dans cette situation embarrassante, elle eut une pensée compatissante pour lui. Rassuré par ce sourire, il démarra en trombe, vira sur place de façon peu orthodoxe et disparut au coin de la rue. Sally le vit s'éloigner non sans envie. Maintenant qu'elle se trouvait une fois de plus en tête à tête avec Hawker, elle résolut de l'affronter avec courage.: «Je ne suis pas venue ici intentionnellement et nous ne vous espionnions pas le moins du monde, assura-t-elle en réponse à son regard moqueur.

— Ne discutons pas de cela dans la rue, voulez-vous, dit-il d'un ton bref et, la prenant par le bras, il l'entraîna vers la maison. «Venez», le chien avait franchi d'un bond les quelques marches du perron. Sally hésita quelques secondes, saisie d'appréhension à l'idée d'y pénétrer. Elle craignait que cette visite chez lui l'enfonçât encore plus dans cet amour impossible; ce serait un souvenir de plus contre lequel il lui faudrait lutter. Hawker nota cette réticence et accentua sa pression sur son bras: «Ne regardez pas ma maison comme si elle était un lieu de débauches célèbres. Vous serez en parfaite sécurité, je vous le garantis. Toutes les jeunes personnes qui ont eu le courage de s'y aventurer en sont sorties indemnes!»

Elle se laissa conduire jusqu'à la porte d'entrée sans offrir de résistance, Hawker tint la porte pour qu'elle pût passer. En dépit de son malaise et de sa gêne, elle ne put s'empêcher de s'arrêter sur le seuil pour jeter autour d'elle un regard admiratif. La façade étroite donnait une impression trompeuse, en vérité la demeure était fort spacieuse; le hall dans lequel ils se trouvaient était une immense pièce, très haute de plafond: le dallage de marbre à carreaux blancs et noirs n'était recouvert qu'en partie d'un tapis vert émeraude. Les deux grandes glaces serties dans des cadres plaqués or réfléchissaient la douce lumière émanant du splendide lustre en cristal. Des palmiers dans des pots en cuivre étaient disposés çà et là le long des murs. Une grande table rococo en marbre et or moulu en constituait l'unique ameublement. Tout au fond il y avait un escalier en spirale qui menait aux étages supérieurs. Cette entrée avait une aura de splendeur sans rien d'ostentatoire; Sally lui trouva une certaine analogie avec la décoration du bureau de Hawker, une sorte de simplicité hautement raffinée.

Hawker l'aida à enlever son manteau et indiquant une porte sur la gauche il dit «Venez avec moi.» Ils pénétrèrent dans un salon meublé de sièges anciens de grande valeur et pourtant confortables, ce qui n'est pas toujours le cas; le mobilier dans son ensemble était Régence et Empire mais d'un style Empire assez dépouillé. Le parquet foncé et d'un beau poli était recouvert par endroits de tapis d'orient; des peintures à l'huile et des aquarelles, surtout des paysages, couvraient les murs. Une vaste cheminée occupait un des angles de la pièce, on y avait allumé une joyeuse flambée. Sally était certaine que c'était Hawker lui même et non un quelconque décorateur qui avait choisi ces beaux meubles pourtant il manquait à ce salon une note un peu personnelle, il n'y avait pas de photos ni de souvenirs de famille, ce qui l'avait déjà frappée quand elle était entrée dans son bureau.

Elle avait été si absorbée par sa contemplation des lieux qu'elle réalisa tout à coup avec une certaine confusion que, pendant qu'elle admirait la décoration, Hawker la regardait d'un air appréciateur.

— Vous aimez?

Sally répondit: «Je suis sûre que tous les visiteurs apprécient la beauté de cette pièce.»

— Oui mais c'est votre avis à vous qui m'importe.

Le coeur lui battit comme à chaque fois que, mine de rien, il lui lançait de ces petites phrases ambiguës. Elle s'admonesta in petto: ne va surtout pas t'imaginer des choses...

— Asseyons-nous près du feu, voulez-vous?

Elle le suivit docilement mais choisit un fauteuil au lieu du sofa en velours où ils auraient pu s'asseoir côte à côte.

Le setter roux vint immédiatement se coucher à ses pieds devant le feu.

— Comment s'appelle-t-il? demanda la jeune fille en caressant son poil soyeux.

— Je lui donne toutes sortes de petits noms pas toujours très flatteurs car hélas! il est décourageant de bêtise, on ne peut pas en faire grand-chose mais, en bonne compagnie il a pour nom: Tom.

Dès qu'il entendit prononcer son nom, le chien bondit maladroitement, renversant une petite table, et fit mille grâces à son maître en remuant frénétiquement la queue.

— Vous voyez ce que je veux dire, dit Hawker essayant d'éviter les caresses trop brutales du pauvre Tom et l'obligeant à se coucher. Sally était étonnée de le voir si bon et patient à l'égard de cette bête pataude et mal dressée. Elle l'aurait imaginé beaucoup plus sévère, dressant son chien à marcher derrière lui et exigeant à l'égard des animaux comme il l'était avec ses subordonnés.

— Si nous buvions un petit verre, proposa Hawker, ensuite je vous emmène dîner.

— Dîner? répéta la jeune fille éberluée.

— Oui, vous devez savoir que c'est une chose assez habituelle, ne prenez pas vos grands airs comme s'il s'agissait d'une proposition déshonnête! Vous n'auriez pas d'autres projets pour ce soir, par hasard?

Sally secoua la tête; une joie radieuse l'envahissait chassant ses bonnes résolutions de rester sur ses gardes.

— Parfait! Maintenant dites-moi ce que vous aimeriez boire.

— Un peu de vin blanc s'il vous plaît.

Pendant qu'il était parti chercher les boissons, Sally mena son combat habituel contre elle-même... et perdit. Elle savait qu'il lui faudrait payer le prix pour les moments de joie que cette soirée lui offrirait mais elle était trop excitée pour ressentir à cette perspective plus qu'une vague appréhension. Oui, elle aurait la témérité d'accepter son invitation une dernière fois pour avoir le plaisir de regarder son visage, d'écouter le son de sa voix et de guetter l'apparition d'un de ses rares sourires. Elle n'avait pas peur de lui mais de son propre coeur. Mais elle aurait le temps demain de le calmer, ce coeur tumultueux et cela occuperait ces longues journées à venir, vides de lui.

Il revint portant une bouteille de vin blanc bien glacé sur un plateau, il en versa un peu dans un verre à vin en cristal et se servit pour lui un whisky: il y en avait une carafe pleine sur la console en bois de palissandre. Au moment où il lui tendit son verre, elle osa lui adresser un petit sourire timide. Il le lui rendit en la regardant longuement. Comme toujours, son coeur se mit à battre la chamade et ses joues devinrent toutes rouges. Elle baissa les yeux et se mit à boire son vin à petites gorgées. Sentant qu'elle n'avait plus rien à perdre elle se décida à lui poser des questions; jusque là elle ne s'y était jamais aventurée.

— Vous habitez depuis longtemps dans cette maison?

— Je l'ai achetée il y a dix ans, répondit-il sans paraître juger la question indiscrète. Mais je ne me suis pas installé tout de suite. Les premières années, je me déplaçais trop souvent.

Elle songea qu'il devait faire allusion au temps où il achetait des journaux un peu partout dans le pays.

— Et vous êtes installé pour de bon à New York maintenant?

— Oui, c'est mon intention. Et vous?

— Rester pour de bon à New York? Pour le moment oui, aussi longtemps que je pourrai garder mon job; j'espère que j'en aurai pour un bon bout de temps.

— C'est ce que vous demandez à la vie, une bonne carrière?

Il posait la question sérieusement. Il avait le

don étonnant de détourner la conversation de sa vie propre pour, avec habileté, en savoir plus long sur son interlocuteur ou son interlocutrice.

— Pour l'instant, oui.

Elle avait répondu d'un ton convaincu. Hawker insista: «C'est curieux, je me demande de qui vous tenez vos ambitions. Personne d'autre dans votre famille ne vous ressemble à cet égard.» Il la fixait en clignant des yeux.

— On dirait que vous n'appréciez pas le fait que j'aime mon travail et que je veuille m'y consacrer de toutes mes forces, dit-elle un peu sur la défensive.

— En général, j'aime qu'on se dévoue à son travail... surtout quand il s'agit de mes employés mais dans votre cas... vous ne vous trompez pas, je n'approuve pas totalement.

Son regard direct déconcerta Sally qui ne voulut pas pousser plus avant son interrogatoire. Elle avait trop peur de sa réponse si elle lui demandait ce qu'il voulait dire exactement; cela risquait de lui faire perdre l'attitude contrôlée qu'elle s'efforçait de garder. Il ne fallait surtout pas que la conversation devînt par trop personnelle. Elle saisit au vol la première idée qui lui vint à l'esprit pour faire diversion.

— Cela a dû vous prendre beaucoup de temps de découvrir toutes ces belles choses, dit-elle en désignant d'un grand geste le mobilier du salon et les tableaux.

Hawker sourit de cette tactique naïve et répondit simplement: «Oh non, pas très longtemps, je n'avais pas assez de loisirs pour cela. Je me suis contenté d'en acheter la plus grande partie en Europe lors d'une ou deux ventes aux enchères.

Sally avait espéré qu'il continuerait sur ce sujet mais il se tut. Elle n'avait jamais rencontré quelqu'un moins disposé à parler de lui-même que Hawker. Elle supposait qu'elle le connaissait mieux que quiconque au Globe et pourtant elle n'en savait guère plus sur ses origines, sur ses années de formation, etc. qu'avant de lui avoir parlé. Dans tous leurs échanges il était toujours celui qui posait les questions, elle n'avait plus qu'à y répondre. Elle ne croyait pas qu'il se plût à faire exprès de se composer un personnage mystérieux, pas plus qu'elle ne lui prêtait de noirs secrets à cacher à tout prix. Il avait simplement une aversion naturelle pour les confidences, il ne voulait pas se raconter. C'était l'homme le plus fermé qu'elle eût jamais vu. Ce qui expliquait pourquoi ces moments fugitifs où il relevait son heaume lui faisaient à elle une impression si profonde et persistante.

Elle se laissa offrir un second verre de vin blanc et céda au bien-être qui l'envahit quand elle l'eut avalé. Elle sentait la même béatitude que lors de la soirée où il avait fait si naturellement partie du cercle de famille. Comment se fait-il que je puisse m'abandonner si aisément à un tel bonheur, songea-t-elle, quand je sais d'expérience que cela ne durera pas et que, dès que je serai rentrée à la maison, je sombrerai dans le plus noir désespoir? Soudain il lui vint à l'esprit, pour la première fois de la soirée, qu'elle n'avait pas expliqué la raison de sa présence devant la maison. Elle ne pouvait pas le laisser croire qu'elle était venue jusqu'ici de propos délibéré, elle ne voulait pas passer à ses yeux pour une petite dinde. Elle commença d'une voix entrecoupée: «Je n'ai pas eu la possibilité de vous expliquer... ce que je venais faire... devant chez vous, je n'en avais pas la moindre intention, j'espère que...»

— Il n'y avait qu'à vous regarder pour être fixé! Quand vous m'avez vu, vous êtes devenue pâle comme un linge, dit-il en riant. Est-ce que vous êtes obligée de faire une tête pareille chaque fois que vous m'apercevez, dites le moi!

— C'est à cause des circonstances en général très gênantes où nous nous rencontrons.

— Non, convint-elle tout en se disant in petto que c'était le plus merveilleux événement de sa vie.

— Il vous a pourtant fallu près de la moitié de la soirée pour digérer ce «choc» sans doute désagréable.

Elle protesta vivement: «Ce n'était pas du tout désagréable, seulement je ne m'y attendais pas.»

— Vous ne vous êtes jamais demandé pourquoi j'étais tombé du ciel dans votre ville natale ce jour-là?

— Vous m'avez expliqué que vous étiez venu pour affaires, pour voir Smithy, dit Sally sur un ton qu'elle voulait détaché mais en fait en ayant encore présent à l'esprit leur échange à ce sujet dans l'auto et ce qui en avait découlé. Cherchant à masquer sa gêne, elle se pencha pour caresser le chien. Ses cheveux lui tombèrent devant le visage, formant un écran protecteur.

— Et vous l'avez cru? demanda-t-il accom-

pagnant cette question d'un rire qui fit frisson-
ner Sally.

— Mais oui, murmura-t-elle.

Hawker la saisit aux épaules et l'obligea à
se redresser pour voir ce visage qu'elle lui cachait si obstinément. «Alors, vous êtes la créature la plus naïve que j'aie jamais rencontrée!»

Sa voix était très douce et il lui remettait les
cheveux en place d'une main tendre. «La raison
pour laquelle je me suis rendu à Glenbrook juste
à ce moment-là — tout le monde a dû le comprendre sauf vous — c'était l'envie de vous voir
et de vous ramener en auto jusqu'à New York
avec moi. Ah j'oubliais, je désirais aussi faire la
connaissance de Tante Emilie.

— Tante Emilie, pourquoi donc? demanda-t-elle surprise.

Hawker la mangea des yeux, ce qui l'embarrassa terriblement, puis il éclata de rire: «Si
je vous dis que c'est parce que je vous trouve la
femme la plus fascinante que j'aie rencontrée,
me croirez-vous?»

Sally fronça les sourcils et hocha la tête. Se
payait-il sa tête?

— Je pensais bien que ce compliment absurde n'aurait pas de prise sur vous. Bien, je suis
allé à Glenbrook en prétextant des problèmes
d'ordre professionnel parce que j'avais une certaine …curiosité qui me poussait à en savoir davantage sur vous, à vous connaître un peu
mieux.

Par conséquent, pensa-t-elle, je n'ai pas eu
tort de penser que je passe une sorte d'examen,
qu'il me jauge d'après certains critères que
j'ignore. Elle le regardait droit dans les yeux

avec une expression interrogatrice. Il la fixa un bon moment, profondément absorbé dans ses pensées, très sérieux, finalement il se secoua et dit: «Nous allons dîner, voulez-vous? Il faut que je me change» et il montra son habillement trop négligé pour le soir. «Pendant ce temps-là, vous réfléchirez à l'endroit où vous aimeriez dîner.»

— Mais moi je ne suis pas assez habillée non plus, dit-elle en montrant sa jupe de lainage rouge et son chemisier en jersey blanc.

— Dans ce cas, n'allons pas dans un endroit trop élégant, je vous aurais bien proposé de dîner ici mais ce soir la domestique est sortie.

— Je peux préparer quelque chose, proposa-t-elle regrettant tout de suite cette offre qui n'était peut-être pas conforme aux convenances. Il ne s'embarrassa pas de pareils scrupules et tomba d'accord avec enthousiasme. Il lui montra le chemin de la cuisine dans la maison silencieuse où elle eut conscience d'être absolument seule en sa compagnie.

La vue de l'énorme pièce dans laquelle il la fit pénétrer lui arracha un sourire de contentement. Elle avait beau présenter tous les raffinements d'une installation à la page, elle avait également l'air, comme dans les maisons d'autrefois, d'une cuisine où il fait bon vivre aussi: au centre trônait une immense table de bois bien frottée autour de laquelle aurait pu prendre place aisément une famille de vingt personnes. Suspendue au plafond par des crochets, pendait une batterie de cuisine étonnante, véritable forêt de pots, casseroles, plats de toutes tailles et de toutes formes. Sur les murs, des étagères et des petits placards vitrés offraient au regard des bocaux remplis de fruits et légumes en conserve ainsi que le plus extraordinaire choix d'épices et d'herbes aromatiques. Le fourneau et les fours muraux eussent permis de cuisiner comme dans un vrai hôtel. Sally se demanda si Hawker recevait souvent. Certainement, à en juger par les dimensions de la cuisine, la maison avait dû être construite pour accueillir de nombreux convives.

Il suivit le regard admiratif qu'elle portait à la ronde. D'un ton de ménagère avisée, elle lui dit: «Vous allez me montrer où tout se trouve.» Mais il dut avouer qu'il n'en avait pas la moindre idée. Devant la mine étonnée de sa compagne, il prit un air contrit: «Ne me condamnez pas si vite, je n'ai pas de prétention à être omniscient! Je pourrais vous indiquer avec la plus grande exactitude le nombre de presses que possède le Globe mais je confesse la plus grossière ignorance en ce qui concerne ma propre cuisine. La seule incursion que j'y fasse a pour but de quérir une boîte de nourriture pour chien à l'intention de ce brave Tom.» Celui-ci se dépêcha de donner de la voix; Hawker le fit taire en lui donnant une petite tape sur sa truffe humide et luisante.

Sally entreprit une visite d'exploration de la cuisine tandis que Hawker perché sur un tabouret — ce qui convenait mal à sa dignité habituelle — la suivait des yeux avec intérêt ainsi que Tom couché à ses pieds. Elle découvrit très vite le garde-manger bien rempli et, au bout de dix minutes, elle avait rassemblé autour d'elle les ustensiles et les provisions nécessaires pour faire le dîner. L'incongruité d'une pareille situation ne l'effleura qu'une seconde; à un autre moment jamais elle n'aurait pu imaginer pareille scène: le propriétaire du journal Le Globe, les coudes sur la table de la cuisine, assistant aux préparatifs du repas qu'ils allaient prendre tous les deux! Comme on était loin du personnage redoutable qu'évoquait pour beaucoup — et pour elle le plus souvent — le nom de Hawker! Il lui avait même offert de lui donner un coup de main mais elle refusa. Il lui sembla plus sage de ne pas chercher à prouver ses talents culinaires en lui servant une de ses spécialités les plus compliquées, aussi se décida-t-elle pour des avocats farcis aux crevettes qu'elle servirait en hors d'oeuvre, ensuite steaks et salade César.* Face à ses casseroles, elle retrouvait sa confiance en soi et elle prit plaisir à s'affairer tout en bavardant de choses et d'autres avec Hawker.

Elle ne s'attardait plus sur la pensée démoralisante que ce bonheur serait de courte durée, que demain matin, il ne la considèrerait plus que comme une de ses reporters. Son coeur était trop plein d'allégresse pour se laisser atteindre par le plus léger pressentiment. Ils parlèrent surtout d'elle et de sa famille mais, enhardie par l'atmosphère amicale qui s'était établie entre eux, elle osa demander: «Où avez-vous passé votre enfance?»

— Tout simplement à New York, répondit-il sans hésitation mais je peux vous assurer que ce n'était pas dans ce quartier.

Elle s'aventura à le questionner encore: «Vous avez de la famille?»

* Caesar salad: salade où figurent laitue, ail, bacon, parmesan, anchois et oeufs durs.

— Pas à ma connaissance, en tout cas personne qui ait tenu compte de mon existence depuis que je suis sur cette terre.

Le prompt regard de sympathie qu'elle lui lança attira sur ses lèvres un sourire ironique: «N'allez pas déchirer votre tendre petit coeur à l'idée qu'un affreux mélodrame a assombri les débuts de ma vie. Je ne tiens pas particulièrement à en parler mais uniquement parce que cela ne m'intéresse pas outre-mesure.»

Sally avait levé le nez de sa besogne et, devant son expression attentive, il prit un air résigné: «Bon, je vois que vous allez fondre en larmes de compassion sur mon pauvre sort si je ne me décide pas à vous raconter l'histoire de ma vie. Mais vous êtes prévenue: vous allez être fort déçue, cela ne ferait même pas un bon petit feuilleton mélo pour coeurs sensibles!»

D'un ton détaché et sans se perdre dans les détails, il se mit à raconter: «J'ai perdu mon père à l'âge de neuf ans et ma mère peu après; disons qu'elle a disparu un beau jour et qu'on n'a jamais plus entendu parler d'elle. Je n'ai jamais pu savoir si elle était en vie ou non quand cela avait de l'importance, et à présent cela ne fait plus aucune différence. J'ai fait le tour de plusieurs maisons pendant quelques années et finalement à treize ans je me suis sauvé et j'ai trouvé du travail.»

Aux yeux de Sally cela expliquait son intérêt pour la chaleureuse atmosphère familiale des Holloway et pourquoi il lui avait confié qu'il avait passé beaucoup de temps, étant enfant, le nez collé aux fenêtres des maisons, telle celle de Tante Emilie.

— Et je n'ai pas cessé de travailler depuis. Chemin faisant j'ai pris quelques risques calculés, je me suis acheté un journal de province qui était en difficulté.» Il se tut un instant et poursuivit d'un ton modeste: «Comme cela a bien tourné, j'en ai acheté d'autres et voilà!» Il la regarda en souriant: «Je sais que mon histoire manque terriblement de romantisme et qu'elle paraît très terne à côté des belles histoires qu'on a répandues à mon sujet mais tant pis c'est vous qui l'avez voulue!»

Sally se doutait qu'il avait grandement simplifié son récit, ce qui n'empêchait qu'elle était sûrement une des rares à en savoir autant sur lui. Hawker se leva de son tabouret et s'étira.

— Alors, est-ce que tout cela éclaire votre lanterne, je veux dire le jugement que vous portez sur moi? dit-il avec un sourire taquin.

— Je... Je ne porte aucun jugement sur vous, répondit-elle gênée et ne disant pas tout à fait la vérité, vous êtes toujours un étranger pour moi... ce mystérieux monsieur qu'on appelle «Le Hawk». Le regard de Sally était parfaitement candide.

— Oui, je sais qu'on m'appelle ainsi derrière mon dos, déclara-t-il sans en avoir l'air contrarié, ce doit être un sobriquet effrayant pour quelqu'un comme vous.

Avant qu'elle eût le temps de répondre, le téléphone sonna. Il eut un soupir d'agacement et alla répondre à l'appareil qui était fixé au mur de la cuisine.

— Allo?

Elle songea qu'il n'avait pas besoin de dire qui il était, la voix forte et décidée était aisément identifiable. Elle avait eu peur à maintes reprises en l'entendant. Il écouta une minute en silence puis répondit d'une voix neutre: «Je vois que la soirée s'annonce bien mais je suis occupé en ce moment. Nous arrangerons cela une autre fois, je vous appellerai demain dans la journée.»

Et il raccrocha sans autre explication.

Sally se dit que ce pouvait être n'importe qui, pourquoi allait-elle se mettre martel en tête en s'imaginant que c'était Althea? Sans grand succès, elle se répéta qu'elle n'avait aucune raison de réagir aussi vivement à cette idée. Le dîner fut prêt quelques minutes plus tard. Elle suggéra de le prendre dans la cuisine pour ne pas rompre la bonne ambiance.

— Cela me va tout à fait, à condition que je puisse obtenir que vous mettiez votre couvert près du mien au lieu d'aller vous installer à l'autre bout de la table comme vous en avez sans doute l'intention.

Pourquoi insinuait-il qu'elle désirait garder ses distances, aurait-il déjà oublié avec quelle joie elle s'était laissée serrer dans ses bras? Tandis qu'elle cherchait assiettes, coûteaux, fourchettes et cuillers, dans les divers meubles de rangement, Hawker ouvrit une seconde bouteille de vin et remplit deux grands verres. Durant le repas ils se remirent à bavarder avec animation; les yeux de la jeune fille brillaient et ses joues devenaient vermeilles. Un peu grisée — sans doute en partie grâce au vin — elle se sentait merveilleusement détendue et riait beaucoup, appréciant son humour quand elle n'en était pas la victime. De temps à autre elle lui lançait un coup d'oeil à la dérobée pour s'assurer que c'était

219

bien là l'homme qui pouvait d'un seul regard lui glacer le sang dans les veines.

Il la félicita du délicieux dîner et ajouta: «Je ne peux pas dire que ce soit une surprise pour moi, je me doutais que vous deviez être un fin cordon bleu rien qu'à regarder la façon dont votre appartement était tenu, vous êtes la parfaite maîtresse de maison.» Le repas achevé, il l'empêcha de porter la vaisselle dans l'évier comme elle en avait l'intention et l'entraîna d'une main ferme dans le salon qu'éclairait seulement le feu brûlant encore dans l'âtre. Hawker y rajouta deux grosses bûches tandis que Sally marchait de long en large sous prétexte de regarder les tableaux. Elle ne se sentait plus aussi à son aise à présent qu'ils avaient quitté la cuisine. Dans cette pièce d'une élégance raffinée, l'atmosphère était différente et, pleine d'appréhensions, elle cherchait à retarder le moment où elle devrait le rejoindre près du feu.

— Vous savez que vous ne pouvez apprécier ces tableaux dans cette obscurité, et je n'ai pas envie d'allumer les lampes. Vous devriez cesser d'arpenter ce salon telle une gazelle captive... venez vite vous asseoir ici.

Il y avait dans sa voix une vibration qu'elle ne lui connaissait pas et qui la fit tressaillir.

— Peut-être vaut-il mieux que je m'en aille, suggéra-t-elle d'une voix incertaine.

Il quitta la cheminée et se hâta de venir près d'elle: «Vous ne voulez pas partir, dites-moi que vous n'avez pas envie de partir, Sally.» Son ton se fit plus pressant. Fascinée par son regard flamboyant elle répéta comme en un murmure: «Non, je n'ai pas envie de m'en aller.» Elle lisait sur le visage de Hawker une expression qu'elle n'avait jamais rêvé y voir: un désir intense qu'il ne pouvait déguiser. Lentement, comme dans un rêve, elle vit sa bouche s'approcher et il se mit à l'embrasser éperdument. Dès le premier contact, ils frémirent tous deux et elle sentit ses lèvres brûlantes se presser sur les siennes jusqu'à les meurtrir; elle hésita une seconde puis s'abandonna avec bonheur à cette étreinte passionnée. Il n'arracha ses lèvres de sa bouche que pour recommencer avec encore plus d'intensité. Elle frissonna sous la violence des sensations qui l'envahirent et il la serra tout contre lui dans un geste protecteur. Elle sentait la tête lui tourner et crut que son corps allait se casser en deux quand il relâcha son étreinte et que ses lèvres s'éloignèrent des siennes. Il la tint à bout de bras et la contempla avec des yeux brûlants puis il lui effleura de ses lèvres la gorge et il posa doucement la main là où son coeur battait à tout rompre. Elle vit à son visage qu'il tentait de se contrôler puis il sourit et murmura contre ses cheveux: «Votre coeur ressemble à un oiselet captif, vous n'avez pas peur de moi, au moins?»

— Un tout petit peu, avoua-t-elle en détournant les yeux.

Il lui prit le menton et l'obligea à le regarder droit dans les yeux:

— Pourquoi donc?

— Parce que... (elle hésita une seconde avant de murmurer:) parce que vous pouvez me faire souffrir.

— Je pourrais vous dire la même chose, déclara-t-il gravement. Stupéfaite elle le fixa sans comprendre, le faire souffrir, *lui*? Mais comment? Son coeur bondit en voyant son expression, il semblait la couver des yeux... à moins qu'elle ne prît son désir pour la réalité.

— Vous me dites que vous avez peur de moi, pourtant vous me provoquez à la moindre occasion, dit-il en hochant la tête.

Une sonnerie stridente les fit tressaillir tous les deux. Sally s'écarta d'un mouvement brusque et Hawker prit un air féroce. Il ne bougea pas, on aurait dit qu'il n'avait rien entendu. Quelqu'un appuyait sur le bouton de sonnette avec obstination, Sally en avait les nerfs en pelote; le chien alerté s'était élancé dans le hall et aboyait à l'unisson. La jeune fille supplia: «Allez ouvrir, cela vaudra mieux.» Il y eut une étincelle de colère dans les yeux de Hawker et il siffla entre ses dents, «je n'en aurai pas pour longtemps!» Mais Sally avait envie de lui crier: «Nos précieux moments se seront tout de même envolés d'ici là!» Une voix aux accents familiers lui parvint par la porte ouverte; s'il lui restait encore des doutes quant à l'identité de sa propriétaire, ceux-ci s'évanouirent totalement quand la voix se rapprocha; elle en ressentit un violent coup au coeur. Quelques minutes plus tard une Althea très animée et parlant d'un ton volubile parut sur le seuil. Hawker entrant derrière elle alluma l'électricité. Elle était en train de dire: «J'ai préféré me rendre compte moi-même si vous aviez vraiment du travail ou si je pouvais vous persuader de nous accompagner, ce sera sûrement une soirée très gaie et...»

Elle se tut instantanément dès qu'elle eut aperçut Sally. C'était la première fois de sa vie que celle-ci voyait sur un visage un tel mélange de stupeur et de haine. Les traits parfaits d'Althea en étaient littéralement déformés. Elle resta plantée à l'entrée du salon, ses yeux bleus lançant des éclairs jusqu'à ce qu'elle eût reconquis le contrôle d'elle-même.

— Seigneur, voilà que j'ai interrompu une séance de travail professionnel! s'écria-t-elle d'un ton badin qui contrastait avec son expression furieuse.

— Non, non, c'était une agréable soirée que je passais avec Sally, nous venons juste de finir de dîner.

Hawker avait l'air amusé et Sally se demanda s'il ne prenait pas un secret plaisir à cette situation inattendue. Quant à elle, elle avait accueilli la jeune femme avec politesse et ne reçut en échange qu'un sourire glacé.

— J'ignorais que vous receviez vos subordonnés ici, Rafe.

Elle ne put empêcher sa voix de trahir son ressentiment venimeux.

Sally vit que Hawker fronçait les sourcils d'un air menaçant mais il se contenta de dire de son ton ironique: «Voyons, Althea, pourquoi cet air de supériorité, vous avez dîné ici vous-même et vous faites partie aussi de mes subordonnés, si je ne me trompe.»

Visiblement Althea n'apprécia pas qu'on la mît dans le même sac que les «subordonnés» mais elle sut rapidement reconquérir du terrain:

— Mais oui, chéri, vous pensez bien que je n'oublie pas les dîners divins que nous avons pris ici.

Elle sourit au jeune homme avec une grâce féline et, se tournant vers Sally, demanda avec hauteur: «Vous avez dû apprécier les talents de son incomparable cordon bleu?»

Hawker lui coupa la parole d'une voix calme: «Sally ne peut pas le savoir, Althea, puisque nous étions seuls ici ce soir; c'est elle qui a préparé le dîner et je dois avouer qu'elle n'a pas d'égale en ce domaine.

Althea pâlit mais réussit à glisser: «Cela ne m'étonne pas. Mike Costello parle toujours de ses talents culinaires et il doit bien les connaître, je suppose.»

Cette réflexion perfide tombait à pic, Sally se rendit compte au regard de Rafe que toute cette belle soirée était bel et bien gâchée. Althea pouvait se féliciter de la tension qu'elle avait réussi à susciter entre Hawker et Sally mais elle n'était pas contente de voir qu'on ne faisait plus attention à elle.

Elle ronronna: «Rafe, mon chéri, vous me feriez un plaisir fou en m'offrant un verre de ce merveilleux cognac que vous avez dans vos réserves, il fait un froid de loup dehors!»

Elle frissonna gracieusement en se serrant frileusement dans la cape de vison dont on ne l'avait pas invitée à se débarrasser.

— Et vous Sally, que prendrez-vous? demanda Hawker de sa voix froide et contrôlée.

— Plus rien merci dit-elle avec raideur.

Fini l'enchantement de ce tête à tête, envolées à jamais les heures magiques! cette arrivée intempestive avait tout saccagé. Ah! si elle avait pu ne jamais paraître, cette cruelle femme!

— J'étais justement sur le point de partir, ajouta-t-elle.

— Non, vous n'en aviez pas du tout l'intention, riposta Hawker à cette brusque décision.

Le visage d'Althea se crispa.

— Je m'en vais, répéta calmement Sally en le regardant bien en face.

Il serra les lèvres mais il se contenta de répondre: «En ce cas, je vous ramène chez vous.»

Pour la première fois de la soirée, Althea eut un sourire sincère: «Je vais m'installer confortablement près du feu pour vous attendre, n'est-ce pas, Rafe chéri?»

Celui-ci parut guetter la réaction de Sally mais celle-ci se garda bien de laisser paraître quoi que ce fût de ses sentiments et il haussa les épaules dans un mouvement d'humeur en disant: «Faites comme il vous plaira, Althea.»

Dans l'auto le silence fut pesant; Hawker était furieux, Sally misérable. Elle s'était bien dit au début de la soirée qu'elle aurait à payer le prix du bonheur qui lui souriait mais elle ne prévoyait pas que ce dût arriver si vite. Quand il arrêta l'auto devant son immeuble, elle s'attendit de sa part à un simple bonsoir réfrigérant mais, après avoir coupé le moteur, il la regarda d'un oeil dur: «Pouvez-vous m'expliquer pourquoi vous avez décidé de fuir ainsi ce soir?»

— Cela me semble assez facile à comprendre, vous ne croyez pas? répondit-elle en essayant d'avaler sa salive mais elle avait la gorge affreusement serrée.

— Je dois être particulièrement obtus car j'avoue ne rien y comprendre. Il faudra que vous ayez la patience de m'expliquer vos raisons.

— Pourquoi ne demandez-vous pas à

Althea de vous l'expliquer au coin du feu? rétorqua-t-elle du tac au tac, réalisant trop tard combien sa riposte pouvait paraître puérile.

Le visage crispé de Hawker s'éclaira d'un sourire sardonique: «Ah! nous y voilà! Vous ne pouvez pas souffrir Althea, alors vous partez sur un coup de colère... Pour une fille qui monte sur ses grands chevaux chaque fois que je la mets en garde contre ce médiocre personnage de Mike Costello!» Et il éclata d'un rire amer.

Vexée par ses sarcasmes, elle répliqua: «Vous n'avez pas le droit de décréter à ma place qui est médiocre ou non, vous qui...» Elle allait dire: vous qui avez choisi quelqu'un comme Althea Beecham pour compagne permanente, mais elle se contint.

— Je vous en prie, dites-moi ce que vous avez à me dire, ne vous arrêtez pas en chemin.

Elle hocha la tête: «Non, je n'aurai pas la présomption de critiquer une de vos amies. Je vous ferai simplement remarquer que vous ne connaissez pas personnellement Mike Costello et que vous vous arrogez le droit de l'étiqueter.»

Elle ne comprenait pas bien ce qui la poussait à bondir à la défense de Mike alors qu'elle n'avait aucune estime pour lui et qu'elle était parfaitement d'accord avec le jugement que Hawker portait sur lui. Au fond elle avait parlé sans réfléchir, irritée par sa propension à critiquer tout et chacun alors qu'il paraissait aveugle quand il s'agissait des défauts d'Althea.

Il la prit par les épaules et la secoua, la forçant à le regarder dans les yeux. «Je le connais infiniment mieux que vous ne semblez le connaître, j'ai eu le douteux privilège de l'avoir dans mes relations depuis des années et bien que je le garde au journal, je sais à quoi m'en tenir sur son compte. Cependant si vous croyez que je vais passer le reste de ma soirée à débattre avec vous de ses mérites, vous vous trompez singulièrement.» Il resserra son emprise et son regard gris perçant la dévisagea: «Vous savez que pendant un moment, ce soir...» Il hocha la tête et n'acheva pas sa phrase. Sally attendit avec espoir mais il se tut, il la lâcha brusquement et descendit de voiture. Il l'escorta jusqu'à sa porte sans mot dire puis avant de partir il déclara amèrement: «C'était une soirée pleine de promesses, Sally. Dommage qu'elle se soit terminée ainsi!»

Elle tenta un pas vers lui mais il avait déjà tourné les talons et dévalait l'escalier sans ajouter un mot.

CHAPITRE X

A mesure que l'on approchait de Noël il faisait de plus en plus froid. Quand Sally annonça à sa tante qu'elle ne pourrait passer les fêtes en famille, Emilie fut désolée.

— Mais, ma chérie, cela ne t'est jamais arrivée de ne pas être avec nous pour Noël, nous avons toujours été tous ensemble ce jour-là; sans toi ce ne sera pas pareil.

— Je sais bien, Tante Emilie mais le journal doit paraître même si c'est Noël et puisque j'ai eu congé pour Thanksgiving, c'est normal que cette fois-ci je sois de service.

— Et ce gentil Mr Hawker, chérie? rappelle-toi que nous l'avons invité pour le repas de Noël et que cela semblait lui plaire. Etant donné que c'est lui le patron, il acceptera sûrement de te donner congé.

Sally poussa un gros soupir: «Je pense qu'il a totalement oublié ton invitation, Tante.»

— Je suis bien certaine que si je lui demandais...

Sally horrifiée à l'idée que sa tante lui

téléphonât et mendiât une invitation pour elle, lui coupa la parole: «Ah non! surtout pas…»

Elle ajouta d'un ton plus calme: «Ce serait contraire aux règles de notre métier et très injuste pour celui qui aurait à me remplacer.» Sans compter, songea-t-elle, l'humiliation que j'en ressentirais.

Sa tante, peu convaincue, discuta encore un long moment, allant jusqu'à faire le projet assez irréalisable d'amener toute la famille à New York si Sally ne pouvait venir. Sally démontra que c'était impossible, que de toute façon elle n'aurait aucun loisir à cause du journal. La pauvre Emilie dut se résigner: pour la première fois depuis la venue de sa nièce à son foyer, elle manquerait aux fêtes familiales.

— Et pour toi ma petite fille ce sera terriblement triste de te sentir toute seule, pense à nous appeler, que nous puissions au moins te remonter le moral.

Sally en convenait sans peine, oui ce serait le Noël le plus triste de sa vie, elle serait complètement seule. Même Margaret et Cathy avaient réussi à se dégager de l'hôpital et regorgeaient de projets à réaliser en famille. Aucune de ses autres relations ne serait en ville ce jour-là mais, comme elle l'avait expliqué à sa tante, elle aurait beaucoup de pain sur la planche au journal, ce qui lui rendrait la solitude plus supportable. L'allusion de tante Emilie à l'invitation de Hawker remuait le fer dans une plaie qu'elle aurait voulu voir cicatrisée. Ces derniers jours, depuis la fameuse soirée chez lui, elle avait fièvreusement guetté un coup de téléphone de lui, une visite ou n'importe quel signe de vie. Chaque fois que retentissait la sonnerie du téléphone, elle allait décrocher, la gorge serrée, dans une expectative tremblante... et chaque fois elle était déçue. La raison, en elle, avait beau lui démontrer que son attente était vaine, son coeur lui affirmait le contraire et ne pouvait se résigner à abandonner tout espoir.

Une fois de plus la soirée s'était achevée sur un désastre mais elle comprenait cette fois qu'elle en était partiellement responsable. Après tout c'était elle qui avait pris l'initiative de lui fausser compagnie à l'arrivée d'Althea; sans parler de cette absurde impulsion qui l'avait conduite à voler à la défense de ce Mike Costello qu'au fond elle méprisait depuis belle lurette. Elle ne pouvait s'empêcher d'évoquer l'expression de Hawker quand il avait prononcé ces paroles: «Vous savez que pendant un moment ce soir...» C'était ce souvenir qui lui permettait d'espérer encore malgré tous les arguments qui se présentaient pour l'en dissuader.

Les jours suivants, elle fit quelques courses de Noël, notamment un minuscule arbre de Noël et les ornements nécessaires ainsi que de menus cadeaux qu'elle enverrait à sa famille. Il lui fallait à tout prix conserver un peu de l'esprit des fêtes traditionnelles. Les mondanités battaient leur plein. Les journalistes du Globe que leur métier mettait en relations avec tant de gens étaient invités sans cesse à des soirées. Sally en évita le plus possible mais il y en eut une ou deux qu'elle ne put esquiver.

A l'une d'elles, juste trois jours avant Noël, elle eut la malchance de se trouver nez à nez avec Mike Costello. Il y avait trop de monde dans la pièce pour qu'elle pût s'éclipser rapidement et il réussit à la bloquer dans un coin. Elle s'aperçut tout de suite qu'il avait dû trinquer abondamment et se prépara à passer un moment pénible. Etait-ce de propos délibéré ou parce qu'il avait trop bu, toujours est-il que Mike parut avoir complètement oublié la franche hostilité qui avait régné entre eux lors de leur dernière rencontre; il eut l'air enchanté de tomber sur elle. Sally, résignée, pensa qu'elle ne pouvait songer à l'éviter en toute circonstance; leurs chemins devaient inévitablement se croiser un jour ou l'autre, mieux valait en prendre son parti. Elle le gratifia d'un sourire poli, sans plus; encouragé il se dirigea vers elle d'un pas hésitant.

— Alors ma beauté, cria-t-il d'une voix de stentor qui la fit frémir intérieurement. Vous tombez vraiment à pic, cette soirée devenait embêtante, vous êtes seule?

Sally expliqua qu'elle était venue avec deux reporters mais qu'elle les avait perdus de vue dans cette foule quand ils étaient partis lui chercher un verre au bar. «Je crois que je ferais mieux de me mettre à leur recherche», dit-elle avec l'espoir de s'en débarrasser. Mais Mike ne l'entendait pas de cette oreille: «Tenez, prenez mon verre» et il le lui tendit si maladroitement qu'il en renversa une bonne moitié sur sa propre manche sans paraître s'en soucier. Il poursuivit: «Cela vous fera du bien, vous avez besoin de retrouver vos jolies couleurs». Clignant des yeux en la dévisageant, il continua et sa voix réussissait à dominer le brouhaha: «Sally, je vous trouvais très pâlotte tous ces temps-ci, vous ne devez plus être heureuse comme avant.

Se pourrait-il que je vous aie manqué?» Et il gloussa.

Sally murmura quelques mots en souhaitant désespérément qu'un de ses collègues vint à la rescousse. La voix pâteuse de Mike se fit fâcheusement insistante: «Moi, vous m'avez manqué, terriblement manqué, Sal! Je me demande ce que j'ai pu dire ou faire pour que vous me tourniez le dos comme ça». Il prenait une mine pitoyable qui contrastait de façon comique avec son assurance coutumière. La jeune fille gênée ne savait où se mettre, elle recula, décidée à filer dès qu'elle en aurait la possibilité. Il continuait d'une voix pleurarde.

— Vous ne pouvez pas m'en vouloir de ce qui est arrivé.

— Je vous en prie Mike, ce n'est guère le moment d'en discuter, laissons tomber, voulez-vous?

Sans paraître l'entendre il continua d'une voix si forte que les visages commençaient à se tourner dans leur direction.

— Je ne pensais pas qu'un petit malentendu comme ça pourrait détruire notre amitié, Sal. Ce n'est vraiment pas de ma faute, c'est vous qui me faites la tête.

Ses discours devenaient de plus en plus incohérents et elle comprit qu'elle avait un homme complètement saoûl sur les bras. Elle jeta un regard éperdu autour d'elle en quête de secours mais ne voyant personne de connaissance elle

Ses discours devenaient de plus en plus incohérents et elle comprit qu'elle avait un homme complètement saoûl sur les bras. Elle jeta un regard éperdu autour d'elle en quête de secours mais ne voyant personne de connaissance elle décida de planter là ce malencontreux interlocuteur et de disparaître aussi discrètement que possible. Elle se mit à se frayer un chemin dans l'assistance mais Mike aggripa un pan de sa robe et la suivit comme son ombre. Du moins elle parviendrait ainsi à s'isoler un peu de cette foule suffocante et à lui dire carrément ce qu'elle pensait de lui. En effet elle arriva dans un coin plus tranquille. Quand elle se retourna vers lui, elle vit avec consternation qu'il la regardait d'un air plein d'espoir. Il devait s'imaginer qu'elle avait cherché à se réfugier dans ce coin paisible pour y être en tête à tête avec lui.

— Sally, murmura-t-il d'une voix encore plus pâteuse, en se penchant vers elle au risque de perdre l'équilibre. D'un geste dégoûté, elle le repoussa. Il eut l'air surpris mais reprit rapidement son expression béate.

— Vous me donnerez bien un gentil petit baiser en l'honneur de Noël, demanda-t-il sans voir qu'il lui inspirait une véritable répugnance. Il la poussa contre le mur pour qu'elle ne pût pas lui résister, ce faisant il soufflait bruyamment. Elle eut beau essayer de se dégager, elle avait affaire à forte partie.

— Mon Dieu! quel ravissant tableau! déclara une voix affectée derrière eux. Mike se détourna pour voir qui avait parlé et Sally en profita pour s'échapper.

— Un couple vraiment séduisant et bien assorti, gloussa Althea Beecham, une lueur de triomphe dans les yeux. «C'est Rafe Hawker qui sera content quand il saura la grande affection qui unit deux membres de son état-major.»

L'apparition d'Althea eut pour effet de dé-griser Mike qui se redressa et la dévisagea d'un oeil ouvertement hostile. L'espace d'une secon-de deux paires d'yeux bleus s'affrontèrent puis le regard de la jeune femme se fixa sur Sally: «Je suis bien contente que vous sachiez vous distrai-re, Sally. Vous avez l'air plus heureux que la dernière fois. Evidemment vous êtes plus dans votre élément que là-bas. Vous devez trouver cela plus distrayant que de vous pencher sur un fourneau brûlant. Croyez-moi, chère amie, ajouta-t-elle, d'un ton à la fois mielleux et mo-queur, de nos jours c'est plutôt *démodé* de pen-ser qu'on gagne le coeur d'un homme en lui con-fectionnant de bons petits plats, surtout si cet homme s'appelle Rafe Hawker!»

Mike eut l'air perplexe en entendant Althea débiter d'un air suffisant son petit discours mais cela ne l'empêcha pas de dire à Sally avec bruta-lité: «A votre place, Sally, je ne lui demanderais pas de conseils sur la façon de gagner le coeur des hommes. La seule chose qu'elle sache en ce domaine c'est que leur portefeuille se trouve dans le voisinage.

Althea hocha la tête d'un air apitoyé: «Mon pauvre Mike, vous êtes d'une vulgarité acca-blante.»

— Et je ne fais que commencer, vous feriez bien de rentrer vos griffes et de filer ailleurs.

Sally sentait la panique la gagner irrésisti-blement. C'était bien la chose du monde qui lui faisait le plus peur: être bloquée en compagnie de Mike et d'Althea et se trouver entre deux feux!

— Veuillez m'excuser tous les deux, dit-elle

en cherchant à s'éclipser mais ce n'est pas ce que j'appellerais une soirée réussie.

— Oh! je sais parfaitement ce que vous entendez par soirée réussie, s'exclama Althea qui, du coup, renonça à son ton doucereux.

— Je ne pense pas que vous le sachiez et de toute façon je n'ai pas envie d'écouter vos belles théories à ce propos, riposta Sally qui ne se souciait pas de poursuivre cette conversation, surtout en présence de Mike. Comme celui-ci essayait de la retenir par le bras, elle dit sèchement: «Je tiens à m'en aller, laissez-moi.»

Althea furieuse d'avoir échoué, cette fois encore, à provoquer la réaction attendue chez sa rivale, lança sa dernière flèche empoisonnée.

— En ce cas, il me reste à vous souhaiter un joyeux Noël, je n'aurai plus l'occasion de vous voir avant la fin des vacances: Rafe et moi partons demain matin passer les fêtes dans la propriété de campagne de mes parents.

En dépit de la peine qu'elle ressentait, Sally réussit à murmurer: «J'espère que vous passerez de très agréables vacances.»

Althea expliqua avec une mine d'intense satisfaction: «Oh certainement ce seront de très beaux jours puisque nous ferons mille projets pour nos fiançailles!»

Sally aurait été incapable de dire comment elle avait réussi à sortir de là. Elle prit un taxi et fit tout le trajet dans un état voisin de la transe, serrant les mains si fort qu'elle en garda des traces rouges dans les paumes, là où les ongles s'étaient enfoncés. Sans s'en rendre compte, elle donna un pourboire fabuleux au chauffeur; celui-ci la remercia avec effusion et ses bons voeux l'accompagnèrent jusqu'à la porte de l'immeuble.

La maison donnait une impression de vide et de solitude, tous les locataires sauf deux étant déjà partis en vacances. Une fois chez elle, elle n'alluma même pas et marcha droit à la fenêtre; le front contre la vitre, elle regarda tomber la pluie, une fine pluie glacée. Si au moins il se mettait à neiger, ce serait moins triste. Elle haïssait ces froides averses hivernales et aspirait à revoir la neige! Dire qu'à Glenbrook, toute la campagne devait disparaître sous son épais manteau blanc! La douleur qui la rongeait sourdement depuis tout à l'heure se fit plus lancinante. «Rafe et moi nous ferons mille projets pour nos fiançailles»: ces mots la transperçaient telles des flèches acérées. Ils allaient à la campagne tous les deux et en reviendraient après avoir tout décidé pour leur avenir commun. Cette pensée la ravageait, tournait en dérision tous les espoirs qu'elle avait caressés, tous les rêves dont elle s'était nourrie. Mais pourquoi grands dieux! *pourquoi* s'était-elle permis ces songes creux, ces folles imaginations? Que de fois elle s'était répété qu'il lui en coûterait! Elle avait pris tant de bonnes résolutions... des résolutions qu'elle avait oubliées au premier signe de tendresse de la part de Rafe. Si elle avait su se faire un coeur de marbre, elle n'en serait pas là aujourd'hui, elle aurait pu s'épargner bien des angoisses. Comme un juge impitoyable, elle se dit: «C'est bien fait pour toi». Peut-être qu'en se montrant dure avec elle-même, elle arriverait à endiguer ces flots d'amertume et de souffrance qui la submergeaient. Non, ces efforts étaient vains. Elle resta un long moment plantée près de la fenêtre à regarder au dehors avec des yeux qui ne voyaient rien. Du moins le contact de la vitre rafraîchissait son front brûlant et douloureux.

Elle s'aperçut petit à petit qu'elle frissonnait sans pouvoir s'arrêter. Elle se sentait totalement épuisée, cette lassitude avait l'avantage d'émousser toutes ses facultés et de soulager sa souffrance. Si seulement la nuit pouvait lui permettre de fermer les yeux, d'oublier ce trop réel cauchemar et de s'éveiller apaisée! Elle se déshabilla avec lenteur et tourna le robinet de la douche afin que le jet en fût le plus fort possible; elle resta longtemps sous cette averse bienfaisante, laissant l'eau couler librement sur sa chevelure et sur son visage qu'elle offrait. Machinalement elle prit la brosse et s'en frotta énergiquement comme pour se débarrasser des souillures du chagrin et de la déception. Elle en avait la peau toute rouge. Elle venait de s'envelopper dans un peignoir en velours éponge bleu quand un coup violent résonna contre la porte. Elle se figea sur place et son coeur se mit à battre la chamade tandis qu'elle attendait de voir si cela allait recommencer. Cette fois on frappa bruyamment. Une brusque panique l'envahit. Quel que fût l'intrus, il avait réussi à franchir la porte d'entrée verrouillée sans avoir recours à l'interphone... Puis elle se rasséréna: s'il s'agissait d'un cambrioleur, il ne se serait pas annoncé si bruyamment.

Prenant son courage à deux mains, elle s'approcha de la porte et demanda d'une voix qu'elle s'efforça de rendre aussi ferme que possible: «Oui, qui est là?»

— C'est moi, beauté, dit la voix pâteuse qui appartenait indiscutablement à Mike Costello.

L'étonnement fit rapidement place chez Sally à une vive indignation, elle cria: «Cette fois, vous dépassez vraiment les bornes, Mike. Vous allez me faire le plaisir de filer immédiatement et sans faire d'esclandre, s'il vous plaît.»

— Non, Sally, je ne partirai sûrement pas d'ici avant que vous ne m'ayez laissé vous parler, hurla-t-il.

Sally ne pouvait se permettre d'engager un dialogue à ce diapason car les rares habitants de l'immeuble seraient alertés et elle aurait droit à une scène épique. Il fallait avant tout le calmer. Elle entr'ouvrit la porte pour essayer de parler plus facilement et s'aperçut tout de suite que c'était une grave erreur. L'alcool défigurait le beau Mike, il avait les yeux injectés de sang et une horrible expression égrillarde. Il poussa la porte violemment pour pouvoir passer et entra d'un pas incertain.

Il articula péniblement: «Je suis venu pour vous dire quelque chose, Sal.»

— Je ne veux rien entendre de ce que vous avez à me dire, cela ne m'intéresse pas. Tenez-vous le pour dit, maintenant et dans l'avenir. Elle parlait les dents serrées, ivre de fureur. «Comment osez-vous venir chez moi dans cet état, comment osez-vous venir jusqu'ici?»

— Ne me traitez pas du haut de votre grandeur, railla-t-il. Je connais quelqu'un à qui vous vous empresseriez d'ouvrir s'il venait frapper à votre porte.

Au grand effroi de la jeune fille, il commença à enlever sa cravate et sa veste. Faisant appel à toutes ses réserves de sang-froid, elle tenta de le raisonner: «Allons voyons Mike, visiblement vous avez tellement bu que vous ne savez plus ce que vous faites ni ce que vous dites. S'il vous reste un tantinet de décence, vous me laisserez vous aider à descendre et vous mettre dans un taxi.»

— Vous m'avez plaqué à la réception, vous passez votre temps à me planter-là, gémit-il en secouant la tête et Sally comprit avec désespoir qu'il avait largement dépassé le seuil où il était encore possible de lui faire comprendre la moindre chose. Elle lui aurait bien préparé un café pour essayer de le dégriser mais elle avait peur d'aller dans la cuisine; s'il l'y suivait, la pièce était trop petite pour s'en protéger et elle serait prise au piège. Elle essaya en un éclair de découvrir un moyen de se sortir de ce mauvais pas. Quant à Mike, il était déjà en train d'envoyer promener ses chaussures, puis il se dirigea en titubant vers le lit. Sally fonça pour l'en empêcher, ce qui fut une seconde erreur car elle se mettait ainsi à sa portée. Il fit un geste pour l'agripper, elle se déroba vivement et lui, perdant l'équilibre, tomba à la renverse sur le lit. Ce-faisant il heurta violemment de la tête la table de chevet. Sans réfléchir, Sally se pencha pour voir s'il s'était sérieusement blessé.

Prenant cette marque de sollicitude pour de l'affection, il chercha à l'attirer sur le lit à côté de lui, heureusement sous l'effet combiné de la boisson et du coup sur la tête, les forces lui manquèrent et la jeune fille put aisément se dégager.

— Qu'est-ce que vous avez, demanda-t-il,

vous avez encore de l'espoir pour ce monsieur Hawker? Vous avez pourtant entendu ce qu'a dit Althea tout à l'heure. Elle m'a tout raconté en venant ici. Faites face, Sally vous n'avez pas la moindre chance avec lui, vous pouvez par conséquent...

— Que voulez-vous dire: Althea vous a tout raconté en venant ici?» demanda Sally dont les soupçons prenaient corps. «Mike, Mike», cria-t-elle en le secouant de toutes ses forces mais il était trop tard, il avait perdu conscience.

Elle contempla ce corps inerte tandis que des pensées désespérées tourbillonnaient en son esprit. Althea... Il avait dit qu'Althea lui avait tout raconté en venant ici. Etait-elle pour quelque chose dans cette arrivée inopinée de Mike? L'avait-elle exprès déposé sur son seuil? Qu'allait-elle imaginer, c'était trop absurde, Althea ne pourrait tout de même pas s'abaisser à commettre un acte aussi indigne... A quoi cela lui servirait? Elle se mit à arpenter la chambre d'un pas de plus en plus nerveux au fur et à mesure que l'odieux de la situation se dévoilait à ses yeux: elle ne pouvait passer la nuit dans le même appartement que Mike, même si celui-ci était ivre-mort. Il n'en était pas question. Regardant cette forme allongée avec une aversion telle qu'elle n'en avait de sa vie ressenti une pareille, elle songea combien Hawker avait vu juste en ce qui concernait le caractère de Mike et combien elle avait été sotte de vouloir le défendre à tout prix.

Il ne lui restait qu'une chose à faire: mettre ses affaires de nuit dans un sac et aller à l'hôtel bien qu'il fût déjà tard.

Elle était en train de réfléchir à ce projet quand elle entendit des pas dans l'escalier. Elle se rappela non sans appréhension que sa porte était restée ouverte, elle se précipita pour la fermer puis, retenant sa respiration, elle prêta l'oreille en se tenant derrière la porte: les pas se rapprochaient. Elle était si énervée qu'un coup frappé à la porte la fit sursauter; elle faillit hurler.

— Qui est là? réussit-elle à articuler.

— Rafe Hawker.

Sans prendre le temps de réfléchir elle ouvrit grand la porte, soulagée d'un grand poids. Elle allait se jeter dans ses bras mais l'expression de Rafe lui coupa son élan. Il lui jeta un regard glacial puis se mit à contempler le corps inerte de Mike vautré sur le lit et qu'on voyait fort bien de la porte. Son visage était crispé de fureur et ses yeux jetaient des flammes. Un moment Sally crut qu'il allait lui adresser des reproches cinglants mais il réussit à contenir son indignation avant de se tourner à nouveau vers elle. Un sourire cruel parut sur ses lèvres quand il s'aperçut qu'elle était vêtue d'un simple peignoir, qu'elle avait les cheveux mouillés et les pieds nus. «Je vois maintenant que j'ai fait montre envers vous d'une sollicitude déplacée en vous mettant en garde contre Mike Costello, dit-il avec amertume en passant devant elle pour entrer dans la chambre. Vous avez dû bien vous amuser en entendant mes recommandations de prudence.»

Il ajouta avec une expression de mépris qui lui fendit le coeur: «Il faut que vous me pardonniez ma sotte intervention, je ne pouvais deviner que les choses avaient... été si loin entre vous.»

Sally entendit ces paroles et vit le rictus qui les accompagnait mais elle ne voulait pas y croire. «Que dites-vous?» demanda-t-elle horrifiée.

— Ne jouons plus à ce petit jeu-là, et, montrant d'un signe de tête le lit, il poursuivit: Comprenez-moi, si je ne voyais de mes yeux ce spectacle, vous pourriez encore me berner avec vos grands yeux étonnés et votre rougeur candide. Je me suis déjà laissé prendre trop souvent dans le passé.»

Sally battit en retraite d'un pas chancelant, ses yeux verts ressortaient encore plus vivement dans son visage blême. Il lui lança un regard amer et s'approcha du lit: «Il dort à poings fermés, ce gentil jeune homme... je dois dire que ce n'est guère flatteur pour vous.» Il prit un air profondément dégoûté en entendant les ronflements bruyants du dormeur: «Voici donc ce pauvre incompris que j'ai jugé avec la dernière des sévérités!» Il toisa Sally sans tenter de masquer sa rage: «Il en a au moins pour vingt-quatre heures... qu'avez-vous l'intention de faire de lui?»

La jeune fille eut un geste de désespoir: «Je... j'ai déjà essayé de le soulever mais il est trop lourd, je ne peux pas le mettre dehors.»

— Ah, vous voulez le mettre dehors? demanda Hawker en feignant la plus vive surprise. Eh bien! je suis très heureux de pouvoir accomplir pour vous cet acte de chevalerie.» Et, sans cérémonie il souleva Mike, le chargea sur ses épaules sans que celui-ci fît le moindre mouvement. Il s'arrêta sur le seuil en disant: «Ne croyez pas que nous en ayons fini.»

Pelotonnée dans un fauteuil, Sally essaya

de se rassurer: tout allait s'arranger entre eux dès qu'elle aurait fourni des explications. Elle ne voulait plus penser à la façon dont il l'avait sauvagement attaquée, à ses cruelles paroles, à l'affreux mépris qui se lisait sur son visage. La situation était évidemment très délicate pour elle et on ne pouvait blâmer Rafe de l'avoir interprétée de la pire façon. Enfin l'essentiel était qu'il se fût présenté quand elle avait un tel besoin de sa présence, rien d'autre n'avait de l'importance.

Elle attendit patiemment son retour et perçut bientôt le bruit de ses pas. L'explication qu'elle s'apprêtait à lui donner mourut sur ses lèvres quand elle vit la tête qu'il faisait. Elle se cramponna aux bras de son siège.

— Ça y est, j'ai déposé votre ami dans un taxi, dit-il d'une voix dont la violence était contenue, je suis prêt à passer le reste de la nuit à écouter le récit sûrement fascinant que vous avez l'intention de me faire mais je vous préviens il vous faudra une extraordinaire dose d'imagination pour me le faire avaler!

Il cligna des yeux pour la regarder et, d'un ton caustique, il lui lança: «Et ne jouez pas cette fois à la personne archi-vulnérable, dans les circonstances actuelles je doute fort que cela puisse me convaincre.»

Sally n'ignorait pas qu'il était terriblement rancunier et enclin à juger précipitamment mais elle avait espéré qu'il lui donnerait au moins une chance de se disculper en lui racontant ce qui s'était passé. Maintenant tous ses espoirs gisaient en miettes. Il ne cachait pas qu'il ne croirait rien de ce qu'elle pourrait dire pour sa défense. Tremblante, au bord de la crise d'hystérie, elle se dressa d'un bond en criant: «En fait vous ne voulez pas d'explication. Comme à chaque occasion, vous avez déjà votre opinion et vous ne reviendrez pas dessus. Vous êtes si sûr de vous que vous tirez vos conclusions avant même d'être au courant de ce qui s'est passé. Très bien! en ce cas, je ne vous donnerai pas le plaisir de vous gausser des éclaircissements que je pourrais vous fournir. Je ne m'abaisserai pas à demander pardon pour un acte que je n'ai pas commis!»

Il demanda d'une voix tendue: «Vous ne me donnerez aucune explication?»

— Je ne vous en dois aucune, cria-t-elle d'un ton plein d'amertume. Elle vit brûler dans ses yeux une flamme inquiétante, elle en eut le souffle coupé. «Je vois que, depuis que je vous connais, je me suis trompé du tout au tout dans la façon de me comporter avec vous, Sally.» Il tendit les bras et avant qu'elle eût pu le réaliser, elle se trouva pressée brutalement contre lui; les lèvres de Hawker vinrent se poser en un éclair et sans aucune douceur sur les siennes. Elle sentit en lui un besoin de cruauté, il voulait lui faire mal; il la serra de plus en plus fort contre lui et quand il sentit qu'elle abandonnait toute résistance, il continua jusqu'à ce qu'elle laissât échapper un gémissement de douleur. Il recula et la secoua de telle sorte que la tête de la jeune fille bascula en avant et sa chevelure lui tomba devant les yeux.

— Voilà comment il faut vous embrasser, n'est-ce pas Sally? Vous ne devez pas apprécier ces jeux courtois, le self-control que je me suis imposé jusqu'à maintenant quand je vous prenais dans mes bras. Ce n'est pas la manière conquérante dont s'ennorgueillit — à juste titre — Mr Costello. Et, après ce que j'ai pu constater ce soir, tout me prouve que vous préférez sa façon de faire. Voyons si je m'en tirerai aussi bien.

Il l'embrassa à nouveau avec toute la fougue féroce que lui inspirait sa colère, l'écrasant contre lui avec une telle brutalité qu'elle crut que son coeur allait cesser de battre et qu'elle allait perdre connaissance. Ses lèvres dures et avides quittèrent sa bouche pour descendre progressivement le long de son cou; elle sentit le contact brûlant de ses mains sur sa peau nue. Avec la force du désespoir, elle s'arracha à son étreinte et tenta de s'éloigner en courant. Il la rattrapa aisément et l'emprisonna une nouvelle fois dans ses bras.

Devant son expression d'une étrange sauvagerie, elle recommença ses tentatives pour s'échapper. Il riait amèrement: «Dire que je vous ai crue différente, Sally! Je pensais que vous étiez unique dans votre genre.» Il décochait ces mots d'une voix rauque, chacun lui déchirait le coeur. «Mais Mr Mike Costello était passé par là!»

Comme pour la punir, il resserrait son étreinte: «Ce qui démontre suffisamment que vous êtes pareille aux autres bien que vous ayez cette trompeuse apparence de candeur et d'innocence virginale qui, je l'avoue m'avait fait impression.»

Elle essaya de dire un mot mais il lui imposa silence par un de ces baisers qui la faisaient suffoquer. Mais ce baiser qui voulait d'abord l'humilier se fit passionné et Sally se sentit envahie d'une tumultueuse ardeur. On eût dit que la colère de Rafe s'était transmuée en désir. Instinctivement la jeune fille aurait voulu y répondre, elle avait envie d'être embrassée mais pas de cette manière, non, elle n'en pouvait plus. Elle avait le coeur trop meurtri, ses paroles cruelles retentissaient encore à ses oreilles l'empêchant de céder à sa demande.

Elle se dégagea avec effort et il la laissa faire. Un soupir qui ressemblait beaucoup à un sanglot s'échappa de ses lèvres. Un instant il parut ébranlé et fit un mouvement vers elle puis il se durcit à nouveau.

— Je vous demande pour la dernière fois si vous voulez me donner une explication.

Avec la dernière miette de self-control et d'orgueil qui lui restât, elle lui jeta au visage d'un air de défi: «Jamais!»

— Me voilà suffisamment éclairé, conclut-il froidement.

— Si vous venez d'exprimer le fond de votre pensée, je crois que nous n'aurons plus jamais rien à nous dire.

Sur ces paroles de Sally dites d'un ton calme, il tourna les talons et se dirigea vers la porte; avant de passer le seuil, il se retourna une dernière fois: «Pardonnez-moi si je me suis laissé aller, Miss Spencer, je vous donne ma parole que cela ne se renouvellera jamais plus.»

Cette dernière phrase la cingla telle une averse glacée, elle en ferma les paupières. Il la contempla un long moment avant de disparaître.

Le lendemain, Sally décida de fuir New York. Sans se soucier des conséquences que cela pourrait avoir sur son avenir — elle n'y consacra pas une seule pensée — elle obéit à un désir éperdu de s'éloigner coûte que coûte de cette ville impossible à supporter plus longtemps en raison des souvenirs et associations qui lui étaient attachés.

Elle arriva à Glenbrook sans prévenir. Dès qu'elle la vit, sa tante fut dans tous ses états et, la croyant malade, l'obligea à se mettre au lit. Sally sombra immédiatement dans un sommeil agité qui dura plusieurs heures. Le matin suivant, elle se glissa hors de la maison avant que son oncle et sa tante ne fussent levés; l'air était glacé et il ne faisait pas encore tout à fait jour. A son arrivée elle s'était contentée d'expliquer à sa tante qu'on lui avait donné un congé inattendu et celle-ci, trop inquiète devant la mine tirée de sa nièce, n'avait posé aucune question. Tôt ou tard, il faudrait leur dire la vérité mais elle aspirait avant tout à avoir du temps et de la tranquillité pour réfléchir par elle-même.

Elle avait pris la décision de partir au petit matin après la terrible scène avec Rafe Hawker. Elle ne voyait aucune autre alternative: impossible de passer un moment de plus dans cet appartement, impossible également d'aller travailler au Globe. A l'aube sa peine et son angoisse avaient cédé la place à une sorte de torpeur; comme un automate, elle avait emballé les quelques affaires essentielles et téléphoné très tôt à Bill McIntire qui s'était montré des plus compréhensifs.

Quand elle quitta la maison, Glenbrook

s'éveillait à peine et la neige qui était tombée pendant la nuit recouvrait le sol d'un épais tapis. Le silence était si intense, si paisible, qu'elle eut l'impression d'être seule au monde. Bientôt les habitants commenceraient à vaquer à leurs occupations! Pour l'instant elle n'avait pas le courage d'aborder parents et connaissances et de prendre l'air de circonstance en ces jours de fête. L'air lui piquait la figure. Le ciel plombé présageait de nouvelles chûtes de neige pour ce soir, veille de Noël. Elle marcha à pas rapides dans les rues tranquilles, accompagnée de Penny qui s'était faufilée dehors en même temps qu'elle. La chienne courait joyeusement devant elle, flairait tous les buissons, détalait comme une flèche et revenait lui faire des démonstrations d'affection. Bien au chaud dans sa capote bleu marine dont elle avait rabattu le capuchon presque jusqu'aux yeux, elle se dirigea vers la sortie de la ville, à la recherche du refuge de son enfance: le vieux saule à présent dépouillé de son feuillage mais sans doute paré de givre étincelant. Elle y jouirait d'un bref moment de repos, juste le temps de reprendre des forces avant les contacts familiaux et peut-être de réfléchir aux décisions à prendre pour sa propre existence.

Le lac était déjà solidement gelé, il ne tarderait pas à devenir une piste de jeux animés, toute vibrante des rires et des cris des enfants de la ville. Elle se rappelait ses joyeux ébats quand elle était enfant. A présent la beauté de cette campagne qu'elle avait tant aimée la laissait de glace et elle se demanda avec amertume si son coeur un jour connaîtrait le retour du printemps. En dépit du froid pénétrant, elle resta immobile, adossée à son arbre, attendant la crise de larmes qui la soulagerait. Mais la blessure était trop profonde, la source de larmes trop enfouie, elle ne pouvait pleurer.

Six mois auparavant, elle se tenait déjà là mais quel changement de perspectives depuis lors! Elle était sur le point de voir le rêve de sa vie se réaliser et, malgré ses appréhensions, avec quelle confiance n'abordait-elle pas le monde!

O Rafe, gémit-elle silencieusement.

Chose étrange, jusqu'à maintenant elle n'avait plus pensé à ses fiançailles avec Althea. Elle s'était trouvée dans un tel état de choc, pendant cette nuit où elle l'avait vu pour la dernière fois, qu'elle n'y avait plus prêté attention. Elle était alors bien trop préoccupée par la minute présente, par la nécessité de se défendre pied à pied contre ses gestes ou ses paroles, pour avoir l'idée de lui poser des questions sur ses projets.

Pour la première fois, elle fut frappée par le hasard extraordinaire qui avait guidé les pas de Rafe, ce fameux soir, jusque chez elle. Comment se faisait-il qu'il fût venu à pareille heure? A la tête qu'il avait faite en entrant, il était visible qu'il s'attendait à ce qu'il allait y voir. Ce ne pouvait être qu'un coup d'Althea, personne d'autre n'avait pu intervenir. Le soupçon lui en était déjà venu quand Mike avait dit ces quelques mots incohérents avant de perdre conscience. Mais comment cela s'était-il passé et pourquoi…? Elle hocha la tête, résignée à n'en savoir sans doute jamais plus. D'ailleurs quelle importance? Tout était fini, elle ne verrait jamais plus Rafe Hawker même sur le plan professionnel; il n'en avait sûrement pas plus envie qu'elle après ce qui s'était passé. Pour elle, il s'agissait d'un souvenir pénible; pour lui d'un souvenir embarrassant. Il ne fallait plus se creuser la tête pour chercher à comprendre ce qu'il venait faire chez elle ni les raisons de sa fureur en voyant Mike. Il fallait mettre un trait final à cette partie de sa vie et tâcher de recommencer avec courage un nouveau chapitre.

Absorbée dans ses réflexions, elle n'avait pas senti la morsure du froid, elle commençait littéralement à geler sur place. Pour lutter contre l'engourdissement qui la gagnait, elle se mit à marcher de long en large; si seulement son coeur lui aussi se ranimait. Comment avait-il pu penser et dire de pareilles choses? Il ne faut plus que je les rumine, se dit-elle, pensons à d'autres sujets, aux vacances, à l'avenir...

Ce soir, ce serait la veillée de Noël, le moment de l'année qu'elle avait toujours tant aimé. Elle s'y préparait longtemps à l'avance en s'en réjouissant comme une enfant. Il y aurait les chanteurs de vieux noëls, les amis apportant leurs présents, l'excitation forcenée des petits. Il faudrait s'armer de tout son courage pour faire bonne figure pendant la nuit et la journée de demain.

Elle continua à marcher autour de l'arbre, les yeux au sol, quand Penny, qui rôdait dans les alentours, s'immobilisa soudain, commença à gronder puis se mit à aboyer de toutes ses forces. Sally tirée abruptement de ses pensées regarda dans la direction vers laquelle la chienne s'était tournée et vit une silhouette au loin. Elle ne pouvait de là la voir distinctement mais quelque chose dans son allure, dans sa façon de marcher à longues enjambées assurées, lui fit battre le coeur. Hypnotisée comme dans ces rêves où l'on veut s'enfuir mais où l'on est cloué sur place, elle vit approcher Hawker qui se frayait un chemin dans la neige épaisse. Je suis victime de mon imagination, ce n'est pas possible, essayat-elle de se dire; les tempes lui battaient, elle en avait le souffle coupé. Penny, elle, était partie en éclaireuse et courait en faisant des cercles autour du nouveau-venu, tout en jappant frénétiquement. Hawker ne prêtait aucune attention à l'animal, il n'avait d'yeux que pour la jeune fille incapable de bouger ou de donner signe de vie.

Quand il arriva près d'elle, lui aussi resta devant elle sans dire un mot, il la dévisagea comme s'il avait été privé de sa présence depuis longtemps, très longtemps. Il remarqua les cernes violacés et les joues pâles.

— Pardonnez-moi, dit-il d'une voix presque inaudible.

Les larmes qui n'avaient pas voulu couler jusqu'à ce moment brillèrent dans ses yeux et firent trembler sa voix: «Que... Que faites-vous ici?»

— On m'avait invité pour le dîner de Noël, vous ne vous en souvenez pas? Je ne voulais surtout pas arriver en retard.

Il souriait mais son regard demeurait sérieux, inquisiteur.

— Mais...

Sally hocha la tête d'un air incrédule et une petite larme en profita pour s'échapper et glisser sur sa joue. Il tendit la main et l'essuya, la main était chaude sur la joue glacée. Elle secoua la tête une nouvelle fois, refusant de céder à l'envie de se jeter dans ses bras.

— La dernière fois... vous m'avez dit...

Son débit était haletant, elle avait fort à faire pour réprimer les sanglots qui la prenaient à la gorge.

— Sally, dit-il d'une voix enrouée, je vois l'état où vous ont mise les horreurs que je vous ai dites. Si cela pouvait vous consoler, j'en ai été moi-même torturé. J'en avais honte même en vous les lançant à la tête et je n'ai pas cessé d'en être hanté depuis. Je suis venu jusqu'ici pour vous demander de bien vouloir me pardonner bien que je me trouve impardonnable.

Elle le regarda, incapable de contenir davantage ses pleurs.

— Sally, je vous aime.

Elle fut secouée d'un sanglot et se précipita dans ses bras. Il couvrit de baisers son visage mouillé de larmes, ses lèvres glacées; Sally s'accrochait à son cou, tremblante à l'idée que tout cela ne fût qu'un rêve dont elle allait brusquement s'éveiller. Avec tendresse, il l'écarta un peu de lui pour pouvoir mieux la contempler: «Il faut que j'en aie le coeur net, pouvez-vous... *m'aimez-vous* vraiment?»

— Vous ne vous en êtes donc pas aperçu? balbutia Sally.

— Je l'espérais mais tout le temps je me disais que ce n'était pas possible que vous m'aimiez.

— Moi qui croyais que tout le monde pouvait s'en rendre compte! Il la serra à nouveau dans ses bras et elle ressentit le plus merveilleux des bonheurs en lui rendant ses baisers. Un fâcheux souvenir la rembrunit: «Et Althea?» demanda-t-elle pleine d'appréhension.

— Que voulez-vous savoir, répliqua Hawker intrigué.

— Je vous croyais fiancés tous les deux.

Elle fut rassurée en voyant le plus parfait étonnement se peindre sur son visage: «Fiancés?»

— Elle m'avait dit que pendant les vacances de Noël vous feriez des tas de projets concernant vos fiançailles.

— Et vous l'avez crue? Je pensais que vous vous étiez fait une opinion plus exacte de cette personne et que les occasions ne vous avaient pas manqué pour observer ses manèges sournois quand vous travailliez en sa compagnie. J'espérais aussi que vous me connaissiez assez pour être sûre que je ne pouvais me fiancer avec une pareille créature.

— Vous avez bien cru que j'avais une sérieuse liaison avec Mike Costello!

— Je n'en ai jamais été profondément convaincu mais cela ne m'empêchait pas d'avoir de terribles accès de jalousie et de rancune quand je vous voyais ensemble. Je ne pouvais supporter que vous ne le voyiez pas tel qu'il est: un faiseur.

— Mais Rafe, je m'en étais aperçu bien avant que vous ne me le démontriez.

— Alors grands dieux! pourquoi voliez-vous toujours à sa défense?

— Par obstination et aussi parce que cela m'agaçait que vous le critiquiez alors que vous étiez lié avec Althea... je veux dire que tout semblait faire croire que vous étiez très liés.

Rafe lui prit le visage entre ses mains et en

souriant lui confia: «Je crois que nous nous sommes trop hâtés, vous et moi, de juger nos «amours» respectives. Cela a une signification évidente, cela veut dire, ma chérie, que nous sommes amoureux. Vous savez quand on aime et qu'on n'est pas sûr d'être aimé, ce qui était mon cas, on voit partout des rivaux redoutables.

Elle le regarda stupéfaite: «J'étais pourtant convaincue que je trahissais mes sentiments à votre égard chaque fois que je vous voyais. Il y a longtemps que vous tenez un grand rôle dans ma vie, Rafe.»

Il l'attira contre son coeur et dit en riant: «Ma foi! vous vous êtes bien débrouillée pour me le cacher, à différentes occasions!»

— Et vous Rafe, vous aviez l'air distant la plupart du temps et parfois très ironique et cruel.

— Quelqu'un de moins naïf que vous en ce domaine, une femme plus sûre d'elle-même, aurait percé à jour mon comportement depuis longtemps. Elle aurait compris qu'il s'agissait de l'attitude irrationnelle et vindicative d'un être très épris mais qui doute de se savoir aimé. Maintenant, ma chérie, si nous ne revenons pas tout de suite à la maison, votre pauvre tante Emilie en deviendra folle d'inquiétude. Votre disparition matinale et ma soudaine arrivée ont été de suffisants sujets d'alarme pour elle. Ménageons son pauvre coeur!

Il reboutonna son pardessus et entraîna Sally sur le chemin du retour en la prenant par la main.

— Comment avez-vous eu l'idée de venir me chercher ici?

— Quand je suis arrivé chez vous ce matin de bonne heure, vous étiez déjà partie. Je me suis rappelé ce que vous m'aviez dit au sujet de votre arbre et je me suis dit que sûrement c'est là que je vous trouverais. Votre tante m'a regardé comme si j'avais perdu l'esprit, quand je lui ai demandé comment aller jusqu'à un vieux saule près d'un étang.

Sally eut le reste du récit pendant le trajet jusqu'à la maison. Rafe n'était pas allé à son bureau après la scène de la nuit. Sa secrétaire Eve Tarrant l'avait appelé au téléphone pour le prévenir que Bill McIntire avait fait dire que Sally était partie et avait parlé de ne jamais revenir au journal. Eve avait senti avec son intuition féminine qu'il lui fallait joindre son patron au plus vite. Il expliqua: «Elle me lance des regards inquisiteurs depuis la première visite que vous avez faite à mon bureau; il lui est arrivé à plusieurs reprises de laisser tomber votre nom dans la conversation sans raison spéciale. Il y a long-temps qu'elle travaille avec moi et je pense qu'elle doit me connaître mieux que je ne me connais moi-même.»

Elle m'a vivement conseillé de rattraper le plus vite possible une reporter aussi capable et avec de «si beaux cheveux d'or». Je suis allé chez vous mais vous étiez déjà partie aussi me suis-je dépêché de venir à Glenbrook, voilà!»

Sally buvait ses paroles et, toute à la joie de sa présence, elle n'avait pas conscience du chemin parcouru, elle fut très surprise de s'apercevoir qu'ils étaient en train de s'engager dans sa rue. Tante Emilie, qui guettait anxieusement à la fenêtre, leur fit un grand signe de la main. A la grille, Hawker s'arrêta et fit pivoter Sally pour qu'elle le regardât bien en face: «Quel accueil pensez-vous que votre famille me réserve quand je vais leur demander votre main?»

— Le meilleur du monde, s'exclama-t-elle, les yeux brillants.

— Pour moi ce sera le premier Noël — en tant d'années — que je passerai dans une famille que je peux dire mienne... et je vous assure que je m'en réjouis, Sally. Mais il y a des chances pour que nous n'ayons guère le loisir de parler seuls tous les deux, ces jours-ci. Au cas où je ne pourrais vous le dire entre quatre-z-yeux: Joyeux Noël, mon amour et bonne année, que ce soit la première d'une suite ininterrompue de merveilleuses années à passer ensemble!»